KB104094

# 어느 광고인의 **두 번째** 수첩

# 어느 광고인의 두 번째 수첩

**발 행** | 2024년 06월 27일
**저 자** | 조광익
**펴낸이** | 한건희
**펴낸곳** | 주식회사 부크크
**출판사등록** | 2014.07.15.(제2014-16호)

**주 소** | 서울특별시 금천구 가산디지털1로 119 SK트윈타워 A동 305호
**전 화** | 1670-8316
**이메일** | info@bookk.co.kr

ISBN | 979-11-410-9173-6

www.bookk.co.kr

# 어느 광고인의 두 번째 수첩

조광익 지음

본 책은 저자가 출간한
'어느 광고인의 수첩'에서 다뤄진 내용 외에
도움이 될 만한 내용을
정리하여 두 번째 수첩으로 만들었습니다.

(어느 광고인 수첩)

# CONTENT

## 두 번째 이야기_자동차 광고 기획 팁_01

3D는 아이디어 단계부터 일정을 고려해야 합니다.

BGM 사용에 대한 선제적인 대응 노하우가 있는 것이 좋습니다.

IMC경험은 AE 역량의 스펙트럼을 넓혀 줍니다.

광고효과 조사 자료를 잘 이해하고 활용해야 합니다.

광고물 집행이후 반응에 신경써야 합니다.

영상 자막 심의나 시사 시 문제가 없도록 사전에 확인해야 합니다.

영상촬영 시 포토스텝 어렌지 조율을 잘 해야 합니다.

자막 처리도 자동차에 가급적 하지 마세요.

가끔 CD가 되어야 할때도 있습니다.

가능한 대안을 검토하되 최선의 방법을 선택해야 합니다.

감독과 프로덕션, CD와의 호흡이 중요합니다.

게재지 확인을 위해 멀티 플레이어가 되어 합니다.

견적이 무너져도 솟아날 구멍은 있습니다.

공략 포인트를 명확히 하고 해석하는 훈련을 해야 합니다.

공유가 습관화되어야 합니다.

광고를 넘어 컨텐츠 기획자가 되어야 합니다.

광고에 광고주 브랜드가 출연할 경우 세부적인 사항을 확인하고

광고물 사용 여부를 광고주와 협의해야 합니다.

광고제 수상 유연하고 용감하게 대처해야 합니다.

국내 광고 해외 적용에도 나름 노하우가 필요합니다.

기대하지 못했던 공감이 되는 해석을 만들어 내야 합니다.

## 두 번째 이야기_자동차 광고 기획 팁_02

기본적으로 시장의 이해, 커뮤니케이션의 목표, 컨셉트
이 세가지를 몸에 익혀야 합니다.
기존의 방향에서 나오지 않는다면 다른 맥락에서
카피의 방향을 찾아야 합니다.
기타 제작물을 위해 뾰족함이 느껴지게 전달해야 합니다.
기획은 촬영전 장비와 컷에 대한 이해와 복기는 필수입니다.
긴박한 온 에어, 훌륭한 팀웍, 세상에 불가능 한 것은 없습니다.
다양한 제작물에 대한 관리는 스케줄표로 꼼꼼히 챙겨야합니다.
데이터의 관리도 중요하지만, 공유 시에 유의해야 합니다.
차량의 주행, 기술적 특성을 잘 알고 있어야 합니다.
디지털 방송, 송출 시스템 변화를 고려하고,
소재 출고 시 화질을 확인해야 합니다.
때론 기본으로 돌아가 신선한 방향을 고민해야 합니다.
론칭쇼 영상이나 설명회 영상도 사전 자료 수집의
주요한 자료가 됩니다.
론칭일 프로젝트의 막바지이지만 새로운 시작입니다.
론칭 클리닉전 가설을 세우고 예상 이슈를 찾아내어야 합니다.
모델 이슈는 언제나 좋은 IMC의 소재가 됩니다.
변수가 많은 스포츠 이벤트 순발력이 필요합니다.
비즈링, CM과는 분명히 다르므로 특성을 이해하고 제작합니다.
사전 계약 광고 시에는 판매 일보 상황을 예의 주시합니다.

## 두 번째 이야기_자동차 광고 기획 팁_03

수상의 영광은 모두가 함께 누려야 합니다.
수정 녹음이라고 간단하다고 쉽게 넘어가면 안됩니다.
수정이 많이 발생했을 경우 CD에게 협의하기 전
전후 상황을 살펴야 합니다.
시안 단계에서는 디테일에 최대한 신경쓰시기 바랍니다.
실행 가능성에 문제가 생기면 정확한 경위를
파악하여 신속히 보고합니다.
심의가 끝났다고 안심할 수 없습니다. 공정거래 표시광고법을
잘 숙지하고 있어야 합니다.
썸네일 방향을 광고주 관점에서 작은 이슈라도
폭넓게 보는 시각을 가져야 합니다.
아무리 좋은 브랜드와 제품이라도 상황은 쉬운 것이 없습니다.
아이데이션 시 기획은 주도권을 놓지 말아야 합니다.
아이디어가 팔리지 않을 경우 기존의 아이디어를
다시 한번 점검합니다.
아티스트나 이종 카테고리 협업 시 명확한 업무 규정을
AE가 주도해야 합니다.
완벽한 시사를 위해서 우리는 시간과 싸워야 합니다.
완성도 높은 제작물 실제 상황으로 테스트해야 합니다.
워크샵에선 말을 아껴야 합니다.
원하는 제작물을 팔기 위한 작전이 필요합니다.

## 두 번째 이야기_자동차 광고 기획 팁_04

의상 소품 비용 결재를 위해 AE가 선결제를
지원해야 할 때도 있습니다.
이슈 마케팅에서는 금기시되는 부분이 있습니다.
인쇄광고를 만들 때 차량 비주얼 반전으로
빠지는 요소가 없거나 잘 못들어가지 않도록 챙겨야합니다.
인쇄광고 수정에 대비하여 미리 JPEG 파일을 확보해야 합니다.
인쇄광고 카피 협의시 타이밍을 놓치지 말고
신속하지만 정확하게 조율하세요.
인쇄 출고 빠른 판단과 멀리보는 예측으로
원고의 불확실성을 최소화시켜야 합니다.
자동차 3D 데이타 시간을 넘기지 말고 전달해야 합니다.
자동차 판매 마감 자료는 매월1일 바로 챙겨서 공유합니다.
자료 수집은 일이 아니라 공부라고 생각해야 합니다.
자막 작업은 제작스텝이 이해할 수 있을 만큼
구체적으로 가이드를 넘겨야 합니다.
작은 것이라도 유사성 논란에 휘말리지 않도록 확인합니다.
잡지는 아이데이션의 좋은 원천입니다.
차량 리워크 전 반드시 차량을 확인합니다.
차량의 보안이 풀릴 때까지 AE가 지속적으로 확인해야 합니다.
차를 꼼꼼하게 비교하면서 살펴보고 능동적으로
FGD 시 질문을 합니다.

## 두 번째 이야기_자동차 광고 기획 팁_05

첫 방송, 온 에어 모니터링을 잊지 마시기 바랍니다.

촬영에 관련된 모든 것을 꼼꼼하게 챙겨야합니다.

촬영장에는 보이지 않는 룰이 있습니다.

촬영 현장에서 콘티에 대한 숙지가 중요함을 알고 있어야 합니다.

아군으로 만들던가 아니면 무한 신뢰를 얻어야 합니다.

콘티의 내용에 따라 다양한 방법으로

자동차 CG에 대한 솔루션을 찾아내어야 합니다.

사업 계획 간략하게 정리하지만, 심도있게 고민해야 합니다.

광고주가 생각할 수 있는 방향을

모두 고민하고 광고주의 코드를 읽는 눈을 가져야 합니다.

광고주의 사전 조사 항목 개발 사전 스터디를

반드시 하고 작성해야 합니다.

광고주의 워크샵 새로운 사실을 알기 위한

사전 준비가 필수입니다.

광고주의 워크샵은 기획이 주도해서 챙겨야합니다..

트리트먼트 신속하고 분명하고 명확하게 조율해야 합니다.

트리트먼트는 PPM입니다. 섬세하고 또 섬세하게 챙겨야합니다.

트리트먼트 후 반드시 제작관리와 공유합니다.

판매 데이타의 변화와 추이에 대해 관심을 가져야 합니다.

편집 수정 사항 등 CD가 분명히 확인할 수 있도록 챙겨야합니다.

프로젝트에 대해 한번쯤 복기하면서

차후 프로젝트에 개선점으로 활용해야 합니다.

## 두 번째 이야기_자동차 광고 기획 팁_06

프로젝트의 전체 규모를 알고 접근해야 합니다.
프로젝트 일정은 AE가 주도적으로 확인하고 합의합니다.
해외광고 국내 적용시 커뮤니케이션상에 착오가 없도록
세밀하게 정리해야 합니다. 또한, 협업도 세심하고
조심스럽게 협업하여 진행해야 합니다.
핵심 아이디어 정리 후 스텝 별 진행 프로세스를 정리합니다.
현지 상황에 따라 스케줄 변동 시 사전에 확인하고 협의합니다.
현지 촬영 준비 사항을 다시 한번 점검합니다.
협업, 협업, 협업이 가장 중요합니다.
회의를 주도하고 반드시 결과를 얻어내어야 합니다.
후반 작업 시 골격을 유지하며,
새로운 살을 붙이는 과정이 필요합니다.
자동차 용어에 대한 기본 공부는 사전에 합니다.
자동차 촬영 장비도 잘 알아야 합니다.
자동차 마케팅 매커니즘에 대한 이해가 기반이 되어야 합니다.
어려운 만큼 늘 공부하고 겸손했으면 합니다.
아무나 할수 있지만, 누구나 잘 할 수는 없습니다.
많은 인내심이 필요합니다.
보안 사고는 기민하게 대응해야 합니다.

어느 광고인의 두 번째 수첩을 마치며

## 어느 광고인의 두 번째 수첩을 만들며

'어느 광고인의 두 번째 수첩'은 본인이 경험했던 광고회사(상암커뮤니케이션즈, 휘닉스커뮤니케이션즈, HS애드, 이노션월드와이드, 하이애드원, 인터콤어소시에이션)에서 AE업무를 하면서 수첩(다이어리)에 메모하였던 내용을 엮어 정리한 출간한 '어느 광고인 수첩'에서 다루지 못한 내용을 묶어 만든 두 번째 수첩입니다.

'어느 광고인 수첩'에서는 광고회사 실무 AE들이 알았으면 하는 광고주, 제작, 미디어, 경쟁PT, IMC, 디지털, BTL, 광고회사, 광고회사 생활 업무 내용을 중심으로 다뤘습니다. 그리고 금번 책에서는 '조사, 마케팅 업무', '자동차 광고 기획 팁'으로 추가 구성하였습니다.

광고회사 AE들에게 '조사, 마케팅 업무'는 기획 업무의 바탕이며, 관련 부서나 스텝이 있는 회사가 많지 않기 때문에 알아두면 좋은 업무 내용이라고 생각합니다. 또한, '자동차 광고 기획 팁'은 제각 약 14년동안 자동차 광고 기획을 하면서 일기 형식으로 기록한 'Account Report'를 기반으로 자동차 광고에 관심있는 기획이나 광고주에게 도움이 되는 차원에서 필요한 부분만 뽑아내어 정리해 보았습니다. 모쪼록 실무차원에서 하시는 업무에 조금이나마 도움이 되시길 바랍니다.

!

# 첫 번째 이야기
# 조사, 마케팅 업무

광고전략을 수립할 시 조사 및 마케팅 스텝은 특히, 소비자의 니즈나 인사이트를 찾아내어 광고주의 합리적인 의사결정을 할 수 있도록 지원해 주는 중요한 역할을 합니다. 실제 업무상에서는 AE들에게 없어서는 안 될 매우 중요한 버팀목과 같이 힘이 되어 줍니다. 전략뿐 아니라, AE들이 전략적인 의사결정 전반에 걸쳐서 마케팅 스텝이 지원을 해주며, 광고주 워크샵, 경쟁PT등 광고주의 크고 작은 업무에까지 함께 하기도 합니다. 이런 실제보다 크고 다양한 업무에 대해 공유해 보고 실질적으로 어떠한 업무가 돌아가는지 이야기해 보고자 합니다.

*회사 내 조사 마케팅 스텝이 없을 경우는 기획이 더 주도하거나 외부 스텝과 협업하여 업무를 수행해야 합니다.

## 광고업무에서 주로 활용되는 조사에 대해 알고 있어야 합니다.

소비자와 커뮤니케이션 하는 입장에서 조사는 AE들에게 전략을 수립하고, 인사이트를 찾아내는 중요한 업무 중에 하나입니다. 경쟁PT나, 기존 광고주의 캠페인 전략 수립, 소비자의 일반 트랜드를 알아내는데 있어서 기본적으로 필요한 부분이기도 합니다. 이런 조사 업무에 관련하여 실무AE들은 자신이 수행하고 진행하는 업무들에 조사가 어떤 것이 있고 어떻게 진행되는지 알고 있어야 합니다. 다만, 일반적인 조사 방법론의 틀적인 것은 책을 통해 기본 지식을 습득하고 실제적으로 광고 측면에서 조사 업무를 AE들이 어떻게 활용하는지를 알아보는데 공유해 보고자 합니다.

[광고물 사전 조사]

광고물 제작 시 많이 수행되는 조사 업무인데, 광고물에 대한 사전에 조사 평가를 통해 소비자들의 반응을 예측하는 조사입니다. 사실 광고주가 의뢰하여 진행하는 경우도 있지만, 광고회사가 내부적으로 진행하거나 광고주에게 사전 제안하여 진행하는 경우도 있습니다. 광고물 제작 전 사전 조사는 스토리보드 형식으로 만들거나, 애니매틱 동영상 형태로 된 광고물을 FGI방식, 집단 조사방식을 택해 해당 집단에게 광고물의 이해도나 돌출도, 적합도, 모델 적합성 등을 평가하게 됩니다. 그러나, 완벽하게 완성되지 않은 제작물로 제작CD나 기획들이 설명하여 소비자의 반응을 보는 것이라, 모든 것을 신뢰할 수 있다고 하기는 어렵습니다. 사전 조사를 할 때는 이슈가 중요할 경우는 조사회사를 AP나 마케팅팀을 통해 협업하여 진행하는 경우도 있으나, 몇 몇을 불러 AE 주도하에 진행하는 경우도 있습니다. 물론 해당 조사의 보고서는 AP나 마케터가 작성해 주면 좋지만, 단순한 경우는 AE가 작성하여 AP들의 의견을 듣는 경우도 있습니다. 제작된 광고물을 평가하는 경우는 온 에어 전에 실제 광고 집행 파일 형태로 경쟁사 광고물이나 프로그램이 시작되기 전처럼 만들어 조사를 하는 것으로 조사 대상이나 방법은 비슷하나, 이 경우에는 좀더 신뢰성 있는 조사 결과가 나타나게 됩니다. 그러나, 조사 자체가 경쟁 광고물에 좌지우지되는 경우가 있으니, 경쟁 광고물 선정에 신경을 써야 합니다.

[광고물 사후 조사]

광고물의 사후 조사는 캠페인의 효과를 측정하는 가장 기본적인 조사입니다. 일반적으로 3개월 정도 시점에서 누적 노출량을 확인하여 사전에 마케팅이나 AP팀과 협의하여 진행하게 되는데, 노출량이 많아 유효 빈도수 및 도달율이 확보가 되면 조사를 바로 진행하는 경우도 있습니다. 콜과 관련된 비즈니스를 하는 광고주의 경우는 매출 추이와 보기 때문에 오히려 바로 바로 확인해야 할 필요가 있습니다. 사실, 사전 조사와 유사한 항목들을 측정하게 되는데, 그래도 가장 중요한 것은 광고의 인지도 측면도 중요하겠지만, 목표로 한 메시지의 전달이 제대로 되고 있는지 그것이 구매에 대한 매력도로 작용하고 있는지, 아니면 호의도를 형성하고 있는지 경쟁적인 관점에서 측정하게 됩니다. 광고물의 사후 조사 자료가 단발로 끝나는 경우도 있지만, 지속적인 매출과 소비자 반응과 트래킹화하여 누적을 시킨다면, 중장기적인 플랜이나, 광고의 집행 시 목표 설정 등을 하는데 보다 과학적인 예측을 하게 되므로, 광고주에게 이러한 부분들을 지속적으로 관리할 수 있도록 협업하는 것이 중요합니다.

[브랜드 or U&A 조사]

브랜드 U&A조사는 하나의 브랜드나 제품에 대한 경쟁적 위치를 확인하고 중장기적인 플랜을 세우는 대단위 조사로서 많은 협의와 시간이 필요합니다. 브랜드 조사의 경우 현재의 맞고 있는 브랜드의 소비자 인식이 과연 어떻게 되어 있는지 카테고리의 경쟁력은 어떠한지 부터 큰 그림을 그릴 수 있는 조사이기 때문에 기존 조사와는 다르게 광고주와 조사회사간에 긴밀한 협조를 통해 신속하고 정확하게 이루어질 수 있도록 해야 합니다. 광고회사 쪽에서는 광고물이나 누적 광고비등을 제공하고 광고주는 매출자료 및 조사회사에서 필요한 다양한 자료를 요청하게 되므로 관련 내용을 수시로 확인하여 완료가 되었는지 관리해야 합니다. 특히, 신제품 조사가 진행될 경우 신제품의 제품 콘셉트에 대한 정리를 광고주에게 제공받지 못했다면, 광고주에게 자료를 요청하여 콘셉트 등을 정리 후 컨펌을 받아. 조사회사에게 소비자가 알아들을 수 있는 말인지로 최종 확인하여 조사를 진행해야 합니다. 그리고, 광고물 제공시에는 보통 보기 카드라는 것을 제공하는데 일명(Show Card)라고도 합니다. 쇼카드를 만들 때는 브랜드나 광고주 카피를 숨겨 조사 대상자가 자연스럽게 광고물을 보고 연상할 수 있도록 만들어 조사회사에 제공해야 합니다.

[간이 조사(간편 조사)]

간이 조사(간편 조사)는 AE들이 발로 뛰는 간단한 조사라고 할 수 있는데, 정말 다양한 조사를 간이 형태로 이루어지게 됩니다. 예를 들어 콘셉트 수용도, 제품 수용도, 신제품 테스트, 광고물 조사 등 앞서 설명된 조사들이 비용 및 시간 문제로 인하여 긴급하게 진행될 경우에 AE들이 사실 진행을 직접 하게 됩니다. 고생하는 측면도 있지만, 분명 필드에서의 생생한 느낌을 듣게 되니, 오히려 소비자들에게서 인사이트와 같은 것은 찾아낼 수도 있는 계기가 됩니다. 예를 들어 피자의 신제품 테스트도 물론 광고주가 진행하지만, 광고회사 내부의 직원들의 테스트도 AE가 주도하여 진행하는 경우도 있습니다. AP나 마케팅팀의 협조를 받아 진행하면 좋겠지만, AE는 그야말로 전천후로서 이런 일까지 해야 할 경우가 발생하기도 합니다. 어떤 경우에는 광고물과 장비를 들고 학교로 가는 경우도 있다. 학생들을 모아두고 광고물을 보여준 후 제작물에 대한 조사를 하게 되는데, 설문 작성 및 설문 결과를 정리하여 간략하게 보고서를 작성 광고주에게 제시합니다. 인원수가 많을수록 좋지만, 어찌 되었건 현장에서 새로운 광고물에 대한 생생한 의견을 들을 수 있는 장점이 있습니다.

이런 조사 외에도 많은 조사들이 진행되는데, 실무AE들과 광고업무와 직접적으로 연결된 측면에서 몇 가지 예를 들었습니다. 광고회사에서 진행되는 조사도 제작물을 AE가 함께 챙기고 진행하듯이 함께 해야 하고 어떤 경우는 실무AE가 주도적으로 해야 할 경우가 있다는 것을 알았으면 좋겠습니다.

## 광고효과 조사 시 통상적으로 제공해야 할 자료가 있습니다.

실무AE들이 광고 캠페인관련 조사 시 가장 많이 진행하는 것이 광고물 집행이후에 진행하는 광고효과 정량 조사입니다. 이 경우 AE들이 조사 담당자들에게 통상적으로 제공해야 할 자료들이 있습니다.

[광고물]

광고가 집행되고 나서 광고 효과를 조사기관에 맡겨 진행하게 될 경우 AE들은 가장 우선적으로 광고물을 제공합니다. 자사의 광고물뿐만 아니라 경쟁사의 광고물을 함께 비교 분석하기 때문에 광고물 데이터를 조사 방식에 맞추어 데이터 형태로 전달하게 됩니다. 이때 중요한 것은 데이터 상태가 가급적 동일한 초수와 동일한 화질의 상태여야 합니다. 광고물 평가 시 보다 공정한 평가를 위해 실제 광고 집행하는 형태의 광고물 모음을 만들기도 하는데, 이 속에 자사에서 제작한 광고물을 넣어 평가를 하게 됩니다. 이때 여러 가지 변수가 조사 결과를 좌우하게 됩니다. 자사의 광고물 앞뒤로 더 뛰어나거나 임팩트 있는 광고물이 있거나, 화질의 차이가 있거나, 길이의 차이가 있는 경우 등 다양합니다. 광고물의 길이와 화질은 동일하게 맞출 수 있도록 조율하는 것은 AE가 마케팅과 협의하여 챙겨야 할 부분입니다. 광고물의 질적인 차이나 초수가 심하게 차이나는 것을 붙일 경우는 보는 사람으로 하여금 이해도나, 메시지 전달력에서도 차이가 날 수 있기 때문입니다. 또한, 광고물 집행 시점을 고려하여 제공해야 합니다. 시점이 많이 차이 난 광고물의 경우 조사 결과 도출에 무의미 할 수 있기 때문입니다.

[콘셉트나 핵심 메시지]

광고물 자체뿐만아니라, 핵심 메시지도 정리해서 제공해야 합니다. 핵심적으로 읽어주는 메시지를 슬로건인지 카피인지를 정확히 판단하여 리스트화 합니다. 리스트 화된 메시지들은 추후 광고효과 조사 시 제대로 전달이 되었는지를 소비자들에게서 확인하게 되는 기준이 됩니다.

[광고비/노출량]

광고비와 노출량은 인지도나 선호도 등 다양한 조사지표에 영향을 주기 때문에 해당 기간에 맞추어 데이터를 데이터 베이시스넷 등에서 뽑아 전달합니다. 필요에 따라서는 GRPs를 미디어팀 담당자에게 부탁하여 함께 전달하기도 합니다. 광고비 투입량이나 노출량은 이후 조사 지표와 함께 보게 되면 실제 자사의 캠페인 효과가 효율성 측면에서 효과가 있었는지를 보게 되는 자료가 되기도 합니다. 광고 물량의 차이가 많이 나거나 특정 미디어에만 나갔을 경우, 너무 미비하게 집행되었을 경우 등 광고비를 기준으로도 비교를 해야 할지를 판단할 수 있는 근거가 되기도 합니다. 또한 잔상 효과라는 것이 있어 캠페인이 자사와 딱 맞물리지는 않더라도 어느 정도 시점이 비슷하면 조사 담당자와 협의를 하여 넣는 것이 유의미한 지를 판단해야 합니다.

이외에도 필요에 따라서는 스토리보드 형태로 만들어 제공해야 할 경우도 있으며, 특정 조사의 경우는 브랜드를 지우고 전달하는 때도 있는데 사후 조사시에는 그렇지 안는 게 보통입니다. 실제 조사가 진행되면서 추가적인 협조나 요청사항이 있을 수도 있습니다. 광고효과 조사는 제공되는 자료의 수준에 따라 결과물에 적잖은 영향을 미칠 수 있으므로 전달되기전 사전 점검을 하고 확인해야 합니다.

## 조사 오리엔테이션 시 고려할 중요 포인트가 있습니다.

조사를 진행할 경우 실무AE들은 조사 관련 브리프를 작성하게 됩니다. 자신이 있는 광고회사에 조사관련 팀이 있는 유무를 떠나서 조사를 외부와 진행하더라도 조사에 대한 브리프는 실무AE가 작성을 해야 합니다. 작성 후에는 조사를 진행해야 할 담당에게 오리엔테이션을 하게 됩니다.

[조사 브리프]

오리엔테이션에 필요한 자료이며 실무AE들이 작성하게 됩니다. 그러나, 정해진 양식이 따로 있는 것은 아니지만 아래의 내용들이 기본적으로 들어가야 합니다.

의뢰자:

해당 광고주를 담당하는 프로젝트의 실무 리더가 들어갑니다. 조사가 진행되기 전이나 과정에서 담당자들이 실무AE들에게 업무 협조를 구할 수도 있기 때문에 조사 브리프 상에서 명기되어야 합니다.

광고주/브랜드:

광고주명이나 브랜드는 조사가 아니어도 모든 건에 들어가는 필수사항이라고 보면 될 것 같습니다.

조사 배경 및 목적:

조사를 하게 된 배경에 대해서 자세하고 심플하게 기재하게 됩니다. 광고 캠페인이 3개월이상 지나서 정기 조사를 하게 되었는지, 경쟁PT 차원의 사전 광고물 조사인지, 브랜드 관련 조사인지를 간략한 배경과 함께 기재합니다. 그리고, 광고주와 관련 조사상에서 참고해야 할 이슈들을 기재합니다. 광고효과관련 조사라면 광고량이 대략 어느 기간 동안 얼마나 집행되었는지, 중간에 CI의 변경 이슈가 있었다든지 다양한 조사 배경과 이를 통해 얻고자 하는 목적을 기재해야 합니다. 만약에 특수한 상황에 조사라면 더욱 구체적으로 작성해야 합니다.

조사를 해야 할 타깃들을 기재하기도 하는데, 이는 오히려 가이드를 주되 조사 담당자들의 의견을 수렴하는 것도 매우 중요하다고 생각합니다. 왜냐하면 조사 목적에 따라 조사 대상자를 선별하고 구성하는데 많은 고민을 하기 때문에 꼭 들어가야 할 집단이 아니라면 조사 담당자들의 의견을 함께 놓고 협의해야 합니다.

조사 의뢰 유형:

크게는 단순한 리서치 업무인지 전략 개발 업무인지를 구분할 필요가 있습니다. 두 가지 성격의 차이가 매우 크고 사전 준비의 강도가 많은 차이가 있기 때문입니다. 단순 리서치 성격의 업무라면 기존의 조사 패턴을 활용하여 적용하면 되지만, 전략적인 측면에서의 조사라면 사전에 조사 목적이나 얻고자 하는 것 등을 보다 상세하게 협의해야 할 필요가 있습니다. 단순 리서치 관련 업무라면 그것이 광고효과 조사인지, 시장관련인지, 브랜드 등인지 등을 구분해야 합니다. 전략 개발 업무의 경우는 트랜드 조사, 벤치마킹, 중장기 브랜드 전략, 커뮤니케이션 전략, 마케팅 컨설팅 등 아주 복합적인 개념이 얽힌 부분인지를 구분할 필요가 있습니다. 두 개의 큰 구분이지만, 전략 개발 성격의 조사에서는 오히려 AP들의 역량이 많이 발휘해야 하는 것 같으며, 단순 리서치 업무의 경우는 실행자체는 외부에서 진행되지만, 진행 결과에 대한 종합적 의견이나 시사점을 AP쪽에서 제공해 주는데 공을 많이 들이는 것 같습니다.

의뢰 범위:

조사 진행이후 결과 데이터가 나오게 되는데 이것에 대한 업무 범위를 어디까지 해야 할지를 정해 주어야 합니다. 단순한 조사 데이터의 전달, 탑 라인 정리, 시사점까지 들어가는 리서치 결과 보고선에서 그치는 것인지, 전략 개발 업무 관련해서는 전략적 아이디어나 실제 보고까지 진행해야 하는지 등의 업무 범위를 결정해 주어야 합니다. 이는 실제 조사 담당자들의 시간과 인력을 투입해야 하는 것이며 비용과도 직결되어 있기 때문입니다. 자칫 이 부분을 모호하게 정리할 경우는 차후 광고주 일정까지 문제가 생길 수 있으므로 사전에 그런 문제가 발생하지 않도록 담당자와 명확하게 정리할 필요가 있습니다.

예산:

의뢰 범위까지 나오면 대략적인 예산에 대한 규모를 설정할 수 있습니다. 과연 지급 규모, 지급 방법에 대해서도 합의할 필요가 있습니다. 특히, 조사 비용은 조사의 실행 시 샘플 사이즈에 영향을 미칠 수도 있으므로 무리한 비용 조정은 오히려 조사의 신뢰성을 저하시킬 수 있는 우려도 있을 수 있습니다. 물론 이 부분은 조사 의뢰 범위와도 연계되어 움직이므로 금액부분에서도 다시 한번 확인할 필요가 있습니다.

기타 고려사항:

상기 내용에 없었던 참고할 만한 내용을 기재하는 것이며, 조사 결과의 보고 형태나 보고서 작성 방법이 별도로 필요하다면 기재해야 합니다. 예를 들어 조사 결과를 전년도에 지속적으로 이어서 왔다면 트래킹 형태로 달라고 하든가 조사 설계 제안서를 받아야 하기 때문에 일정을 어떤 식으로 조정해야 할지 등 세부적으로 참조할 사항을 기재하여 협의해야 합니다.

일정:

조사 일정은 조사의 방법, 규모, 형태 등에 따라 매우 달라집니다. 사실 광고주와 급한 일정으로 진행될 때도 있지만, 전략 개발 업무와 관련된 조사의 경우는 사전에 명확하게 일정을 조정하기가 어려울 수도 있습니다. 따라서, 필요하다면 조사의 방법이나 규모, 형태를 충분히 고민한 후에 조사 담당자의 의견을 듣고 결정하는 것도 방법입니다.

조사 브리프는 조사의 시작입니다. 실무AE가 조사에 대해 구체적으로 알기는 힘들더라도 조사를 통해 얻고자 하는 것은 명확하게 가지고 있어야 하는 게 매우 중요합니다 그것을 조사 브리프 상에 잘 기재하는데 중점을 두었으면 합니다.

조사 전 어떤 타깃을 조사하느냐에 차이가 있을 수 있습니다. 정량조사나 정성조사와 상관없이 조사전 조사 대상의 타깃 그룹을 선정하는 일은 매우 중요합니다. 조사 결과를 좌우하는 중요한 요인 중에 조사 대상을 선정하는 것이 기준이 될 수 있기 때문입니다. 언론이나 매체에서 여론조사를 할 때도 어떤 지역이나 어떤 그룹을 조사하느냐에 따라 결론의 차이가 있을 수 있듯이 자칫 잘 못된 그룹을 선정하여 조사를 하게 될 경우는 조사 규모와 상관없이 잘 못된 결과가 나올 우려가 있기 때문입니다. 또한, 문제에 대한 이슈에 따라서도 조사 대상의 선정은 달라집니다. 담당하는 제품이나 브랜드에 문제를 해결하는 것인지 단순한 인식에 대한 진단인지에 따라 조사 방법이나 조사 대상의 선정이 달라지게 지게 됩니다. 따라서, 조사를 진행하는 담당 부서와 이에 관한 구체적인 협의가 반드시 필요합니다.

기업이미지 광고효과에 대한 인터넷 정량조사와 관련된 설계 자료에서는 기본적으로 조사 대상에서 광고나 광고주와 관련 있는 대상들은 제외하게 되고 신뢰성 있는 결과도출을 위해 000명 정도로 조사를 진행한다고 하더라도 조사 결과의 신뢰성을 얻기 위해 지역별, 성별, 나이별, 직업별 등 다양한 항목을 구분하여 배분을 해야 합니다. 그런데, 만약 일부 지역에 해당 광고주의 특정 이슈로 인해 해당 지역에서 관련 내용에 대한 조사 결과를 별도로 알아야 하는 사항이 있다면 특정지역의 조사 대상자 수가 늘어날 수도 있습니다.

어떤 조사의 경우는 해당 제품에 사용자들의 조사가 반드시 필요할 경우는 부스터와 같은 별도 인원을 설정하여 조사 인원을 조정하기도 합니다. 실무AE들은 조사 전 조사 결과의 신뢰도 확보를 위해 조사의 목적을 분명하게 인지하고 그 기준에 맞추어 해당 스텝과 조율을 해 나가야 합니다.

정성 조사의 경우는 단순 인지도가 아닌 해당 제품이나 브랜드의 이슈를 놓고 심층적으로 논의를 하게 되므로 보다 구체적인 문제등을 소비자의 목소리에서 뽑아낼 수가 있게 됩니다. 모 제과관련 조사진행 시는 이런 경우도 있었습니다. 인사이트를 찾아내기 위한 FGD를 진행하기 전 조사 대상의 선정하기 위해 가이드를 설정하는데, 주부가 바이어이며, 학생층이 유저인 상황을 고려하여 설계된 것입니다. 이럴 경우는 좀더 입체적인 고민이 필요하기도 합니다.

FGD도 단순 그룹핑을 하는 경우도 있지만, 문제의 이슈가 복잡하거나 이렇게 층이 나누어져 핵심 타깃과 준거집단까지 조사를 해야 할 경우는 보다 대상 선정에 있어서 신경 써서 구성을 해야 합니다.

추가적으로 조사 대상자를 선정하는데 있어서 신경을 쓰는 이유는 조사 대상자 자체가 비용이 발생하기 때문입니다. 많은 사람들을 할 수 있으면 신뢰도도 좋아지고 더 많은 의견들을 들을 수 있겠지만, 조사에 투입되는 비용이 너무 높아지게 되어 조사의 효율성이 떨어질 수 있기 때문입니다. 따라서, 신뢰성을 유지하면 적절한 조사 결과를 뽑아내고 이와 동시에 비용 효율성까지 제고하는 노력을 실무AE와 조사 담당자가 시뮬레이션을 전략적으로 해야 합니다.

## 복잡한 설문지 보는 노하우가 살짝 있습니다.

정량 조사의 경우 설계가 끝나면 설문지 작성에 들어갑니다. 설문지는 조사 담당 스텝에서 가이드를 기반으로 작성을 하게 되고 이를 실무 AE들과 협의를 하여 광고주와 협의를 진행한 후 확정하게 됩니다. 조사 설문지는 대상 타깃에 대한 성별, 연령 등 기본적인 항목을 조사하게 되고 인지도 중심으로 질문을 시작하다 보다 전략적이고, 자세한 질문들로 구성을 하게 됩니다. 설문지를 보게 될 경우는 몇 가지 실무 AE들도 주의해서 보아야 할 것이 있습니다.

[설문 대상자라고 생각하세요]

설문지를 받게 되면 1차적으로 분석을 위한 분석보다는 실제 설문 대상자라고 생각하고 실제 설문에 임해보는 것이 필요한 것 같습니다. 일단 대상자가 어려워하는지를 생각해야 할 것 같습니다. 설문 하나하나의 항목을 기술해 나가는데 오래 생각하게 하거나 질문이 모호하여 응답이 어려운 질문은 실제 조사 결과에서도 의미 없거나 가공이 지나치게 된 자료일 수 있으므로 대상자의 관점에서 부드럽게 흘러가는지를 확인해 볼 필요가 있습니다.

[아예 모르는 사람에게서 점검을 받아 보세요]

실무AE 입장에서 소비자 입장에서 해 보는 것도 의미가 있을 수 있겠지만, 실제 대상 타깃인데 전혀 해당 프로젝트에 대해 모르는 사람에게 부탁해 보는 것도 점검을 받는 좋은 방법인 것 같습니다. 실제 조사 자체도 관련성이 없는 대상자들에게 설문을 하기 때문에 시간이 있다면 이런 과정을 거쳐 점검을 받아야 합니다.

[조사 목적과 불필요한 것이 없는지를 봐야 합니다]

설문의 항목이 많아지거나 시간이 길어지면 실사 기간 및 비용에 영향을 미칠 수 있습니다. 온라인 조사나 전화 조사같은 경우는 설문자체를 무리하게 할 수 없기 때문에 가급적 핵심적인 것 위주로 설문항목이 구성되어 있는지를 확인해 보아야 합니다. 이럴 경우 조사의 목적과 가이드가 큰 기준이 되는 것 같습니다. 목적과 가이드를 명확히 알고 있다면, 불필요한 질문인지 여부를 판단할 수 있습니다. 좀더 자세하고 많은 항목을 요구할 수도 있겠지만 설문의 시간이나 비용, 조사 목적에 부합하지 않는다면 과감하게 줄여야 합니다.

[모호한 질문들은 삭제해야 합니다]

소비자 관점이든 실무AE 입장에서든 설문지를 보다가 변별력이 떨어지거나 모호한 질문들이 있습니다. 특히, 점수화 시키는 항목상에서 각 항목별로 겹치거나 중복된다는 것들은 오히려 대상자들에게 설문 진행 시 적극성을 떨어뜨릴 수 있는 것이므로 통상 더 세심하게 볼 필요가 있습니다.

[추가적으로 확인했으면 이슈가 있는지를 점검하세요]

설문이 기준이나 가이드에 부합한다고 하더라도 중요하게 잊고 있는 이슈가 없는지를 보아야 합니다. 예를 들어 기업 이미지 조사 관련 설문지를 받아 리뷰를 진행하고 있는 상황에서 기업PR 차원의 이슈가 언론상에 이야기되었거나 부정적 이슈로 문제가 갑자기 발생할 경우는 이에 대한 추가적인 질문이 발생할 수도 있습니다. 따라서, 광고주 상황에 따라 필요하다면 별도로 필요한 이슈에 대한 점검 차원에서 추가되어야 할 것이 없는지를 고려하고 있어야 할 수도 있습니다.

## AP와 동반자 관계를 만드는 것이 좋습니다.

저 재인적으로 AP(Account Planner)는 매우 고마운 사람으로 생각하고 있습니다. 실무AE들과 많이 싸우기도 하지만, 그래도 고충을 많이 들어주는 스텝이고 보이지 않는 전략과 어려운 숙제 등에 고민을 할 때 숙제에 대한 명쾌한 해석을 내려주면 어두운 밤하늘에 등대와 같은 역할을 해주기 때문이라고 생각합니다. 이런 AP들과 업무를 진행하면서도 제작 스텝을 AE들이 함께 하듯이 좋은 결과물이 나올 수 있도록 지속적으로 챙겨주는 것이 필요하다고 생각합니다.

[전략관련 회의 시 참석]

경쟁PT나 광고주의 중요한 프로젝트시에 AP가 함께 참석하는 경우가 있습니다. 광고주의 요청일 경우도 있지만, 대부분 전략 개발 업무와 관련된 경우라면 AP의 기능이 매우 중요해지기 때문입니다. 경쟁PT의 경우는 PT의 범위나 규모 적절한 접근법까지 다양한 고민들이 이루어 져야 하기 때문에 그런 판을 위해서라도 AP의 참석을 AE가 적극적으로 함께 할 수 있도록 챙겨야합니다.

[광고주의 주요 전략관련 협의]

광고물에 대한 협의가 아닌 브랜드 전략이나 마케팅 컨설팅과 같은 큰 이슈로 광고주가 요청하는 경우가 있습니다. 이럴 경우는 사실 AE의 업무라기 보다는 AP를 중심으로 한 역할이 더 커질 것입니다. 조사시에도 이런 전략 개발 관련 업무를 진행을 하게 되면 AE는 AP가 잘 주도할 수 있도록 진행을 도와주는 것도 필요합니다.

[각종 행사 참여]

광고주가 국내외의 박람회나 경영 마케팅과 같은 포럼 등 다양한 행사에 참여할 경우가 있습니다. 이럴 경우 많은 스텝이 함께 가야할 경우도 있고 AE와 AP가 주도적으로 참여해야 할 경우도 있습니다. 실무AE는 참여 수위를 사전에 확인하여 AP가 참석이 필요한지를 판단 연락 후 참여해야 하면 협조를 진행해야 할 것입니다. 예를 들어 박람회의 갔을 경우 최근의 트랜드나 소비자 동향을 읽을 수 있기 때문에 제작 스텝에게도 도움이 되겠지만, AP스텝도 좋은 시사점을 얻을 수 있는 자리이므로 가급적 참석할 수 있도록 지원하는 것이 좋습니다. 이렇게 AP와 함께 회의나 박람회 등 대내외적인 행사에 함께 참여하는 것도 중요하지만 실제 업무진행 시 실무AE들이 더욱 중요하게 생각해야 할 것이 있다고 생각합니다.

[AP스텝과의 적극적인 자료 공유]

AE는 광고주의 마케팅관련 업무회의나 각종 조사, 트랜드 리포트 발표회 등 다양한 회의에 참석하기도 하고 광고주가 참석한 자료를 담당 제품이나 브랜드에 참조하기 위해 받기도 합니다. 정기적이거나 비정기적일 수도 있는데, 마케팅 관련 자료는 그때 그때 받아서 기획팀과 함께 마케팅관련 스텝에게도 공유를 하는 것이 필요합니다. 관련 자료를 바로 주지 않고 나중에 몰아서 주는 것보다는 자료를 검토하는 것도 사전에 보내준 상황이 훨씬 더 자세하고 시간을 두고 볼 수 있는 것이므로 닥쳐서 프로젝트를 위해 주는 것보다는 효과적인 것 같습니다. 더구나 담당 마케터나 AP와의 수시로 커뮤니케이션 할 수 있는 것이 되므로 기획과 스텝간 유대 관계를 형성하는 것에도 도움이 됩니다. 또한, 혹시 모르는 자료의 분실로 추후 광고주에게 별도로 요청하여 자료를 구하는 시간이 걸리는 것 보다는 수시로 공유하여 향후 업무에 대응할 수 있도록 해 주는 것이 좋습니다.

[비공식적인 커뮤니케이션]

AP와의 공식적인 미팅은 오리엔테이션이나 결과물을 가지고 미팅을 하는 경우가 있습니다. 하지만, 이런 미팅에서 보다 심층적이고 구체적인 이야기가 회의 분의기상 나오지 못하는 경우도 있습니다. 따라서, 실무AE가 회의 진행 상황이나 일정을 보면서 필요하다면 담당 AP와 비공식적인 미팅을 자주할 필요가 있다고 생각합니다. 쉽게 말하면 차 한잔 마시는 것이지요. 이런 잦은 미팅을 통해서 유대관계는 물론 보다 효과적인 전략을 도출해 낼 수도 있습니다. 어떤 경우는 광고주의 상황과는 좀 동떨어졌으나 AP쪽에서 제시한 전략이 가장 적확하다고 믿고 있는 상황에서 서로 간의 차이가 상당히 클 경우는 이런 미팅이 조율을 하는데 보다 효과적일 수 있습니다.

AE와 제작 스텝간 호흡이 잘 맞아야 좋은 결과물이 나오듯 AE와 AP스텝의 호흡도 매우 중요합니다. 수동적으로 할 것인지 적극적으로 할 것인지에 따라 매우 큰 차이를 결과물에서 볼 수 있는 것 같습니다. AP와의 적극적인 커뮤니케이션이야 말로 큰 방향을 잘 정립하는 첫 단추이기 때문에 실무AE들의 태도가 매우 중요하다고 생각합니다.

## 캠페인 운영 시 효과 조사의 타이밍을 미리 챙기세요.

실무AE들이 조사 관련하여 실수를 하는 것 중 하나가 캠페인 운영 시의 조사 타이밍을 놓치는 경우입니다. 광고주의 요청이 아니더라도 적정 노출량이나 조사가 별도로 필요한 시점이라면 표기를 해 두었다가 진행을 사전에 진행시켜야 하는데 바쁜 온 에어 일정에 맞추어 그것에 정신이 없다 보면 자칫 조사 관련 진행시점을 놓치기가 일수인 것 같습니다. 왜냐하면 캠페인 조사 진행 시 인터넷 조사든 1:1 면접 조사이든 간에 조사가 진행되는 물리적인 시간이 많이 소요되기 때문입니다. 조사 실사 자체의 기간보다는 설문의 설계나 질문을 확정하고 광고주에게 최종 컨펌 받는 기간까지 고려한다면 자칫 타이밍을 놓치게 되면 캠페인의 결과 반연에 문제가 있을 수 있습니다.

조사의 조건이나 규모가 광고주나 브랜드, 제품에 따라 다르지만 예를 들어 실 조사를 하는 차원에서 온라인으로 560명 진행되는 것이며, 캠페인은 9월말에서 10월초에 끝나는 조건인 경우가 있어다고 한다면, 조사 진행에 대한 협의가 완료되고 나서 설문작성과 웹 작업, 실사, 자료처리, 집계표 작성까지 거의 1개월 가까이 시간이 소요되는 상황이 었습니다. 설문 작업자체도 실무AE의 확인뿐 아니라 AP와 함께 보고 이후 광고주와의 최종 커뮤니케이션을 통해 진행되기 때문에 광고주의 컨펌까지 고려한다면 최소 일주일 이상이 소요될 수 있습니다. 그럼 결국 조사에 대한 것이 애뉴얼로 진행한다는 것이 합의되어 있지 않다면 캠페인 제안 시점에 이미 조사 관련 협의가 진행되는 것이 가장 좋은 것이라 할 수 있을 것 같습니다. 만약 캠페인이 거의 종료된 시점에 조사 제안에 대한 이슈가 제기된다면 그것은 조사 자체의 의미가 없을 수 있는 시점이므로 매우 민감한 사안이 될 수도 있습니다.

이처럼 조사의 타이밍이라는 것을 관리하는 것은 실무AE들에게 매우 중요한 것이며 이를 잊지 않도록 워크시트 스케줄표에 항시 명시하고 캠페인 진행 시 사전에 광고주와 커뮤니케이션하여 진행에 무리가 없도록 정리해 놓아야 합니다. 물론 비용처리 부분에 대해서도 명확하게 해 두어야 합니다. 그런데, 온라인 조사도 이렇게 많은 시간이 소요되지만 1:1 면접조사의 경우를 광고주가 요청할 경우는 시간적으로 더 많은 것이 필요하므로 사전에 조율이 매우 중요합니다.

1:1개별 면접조사와 온라인 조사를 비교해 보면 개별 면접조사는 실사에 들어가는 물리적인 시간이 매우 많이 걸리므로 광고 효과를 개별면접 조사할 경우는 물리적으로 소요되는 시간을 사전에 정리하여 진행일정에 문제가 없도록 해야 합니다. 그렇다고 무조건 온라인 조사가 답은 아닙니다. 예를 들어 연령층이 높은 타깃의 제품에 대한 광고효과 조사를 한다고 할 경우 무조건 온라인 조사를 하겠다고 하면 그것 자체가 문제가 될 수 있습니다. 온라인을 사용하는 비중이 적은 유저일 수 있기 때문에 온라인 조사가 무의미 할 수 있기 때문입니다. 그럴 경우는 아예 광고효과 조사에 대한 시간을 아주 길게 잡아 캠페인 시작부터 감안하여 진행을 해야 할 것입니다. 광고효과 조사는 AE가 정확한 타이밍을 알고 AP와 사전 협의하여 갑작스럽게 진행이 되어 조사 결과까지 영향을 주지 않도록 타이밍 관리과 조사 방법에서의 걸리는 실행의 시간들을 사전에 알고 있어 무리가 없도록 해야 할 것입니다.

## 조사, 마케팅, 브랜드 공부 어렵지만 해야 합니다.

사실 지금도 그렇지만 AP나 마케팅 스텝에게 가장 조언을 많이 얻고 컨설팅 받는 분야가 브랜드 전략이나 브랜드 컨설팅 등 '브랜드'라는 것이 들어갔을 때의 상황만큼은 실무AE로서 많은 어려움이 봉착하게 되는 것이 사실입니다. 일단 용어에 대한 이해가 어렵고 실제 이를 광고에 구현해 내는 과정 또한 매우 정교해야 하기 때문에 AP에서 컨설팅해준 자료를 기반으로 들여다보더라도 아직도 어렵고 많은 해석이 필요한 것 같습니다. 더구나 실무AE들을 통해 제작 스텝에게 이러한 것을 해석하여 전달해야 하는 입장이다 보니 항시 브랜드 관련 업무를 진행할 때는 매우 어려운 것이 사실입니다.

기업PR이나 브랜드 광고등은 일반 상품 광고처럼 팩트가 확 눈에 보이지 않을 수 있고, 어떤 경우는 스타일, 이미지를 규정하고 있어 독특하게 풀어간다는 것 자체가 어려운 과정인 것 같습니다. 그럼에도 실무AE들이 조사 마케팅 관련 업무의 한 축이며 브랜드의 이슈가 늘 중요한 상황이라 더 많은 노력이 필요하지 않을까 합니다. 광고주들 또한 브랜드에 대한 과제를 끊임없이 요청하기도 합니다.

예를 들면,

브랜드 활성화 전략

브랜드 커뮤니케이션 전략안

브랜드 네이밍 아이디어

브랜드 확장에 대한 검토

신규 브랜드에 대한 IMC 컨설팅

중장기 브랜드 전략

브랜드 관리 방안

프리미엄 브랜드화 방안

XX브랜드 대응전략 방안 등

상기 내용이 아니어도 실무AE들이 조사 마케팅 스텝을 통해 브랜드 관련 과제를 받아 조사를 진행하거나 사례분석으로 솔루션을 제시하게 됩니다. 결국 실무AE들의 광고 업무와도 직결되어 있는 부분이므로 이런 자료들에 대한 이해나 반영을 위해서 브랜드에 대한 노력을 계속 되어야 합니다.

[관련 용어나 사례 리뷰]

실무AE로서 처음으로 브랜드 전략 기획서를 보았을 때 광고주를 위해 쉬운 개념으로 작성되기도 하지만, 실무자 협의시 낯선 용어나 전략의 이론적 개념들이 많이 사용되어 어려움으로 고생했던 적이 있었습니다. 당시 앞으로 이런 자리에서 이해가 안되거나 잘 모르는 안되겠다는 생각에 많은 고민과 평소에 이것 저것 공부하였었던 것 같습니다. 그래서, 광고주에게 제시되기 전 공유를 통해 이해하는 것은 기본이고 이런 제안서가 들어가기 전 평소에 브랜드 전략에 관한 이론이나 용어를 종종 익히는 것이 필요하다고 생각합니다. 또한, 브랜드 관련 자료가 있는 사이트나 사례집을 스터디 함으로써 이에 대한 이해도나 스킬을 고급화시키는 것이 필요하다고 생각합니다. 더구나 어떤 프로젝트는 철저하게 모든 것을 브랜드 관점에서 해석하여 기획하고 광고 전략을 짜는 경우도 종종 있습니다. 사실 저도 동의하는 것은 브랜드의 힘은 중장기적으로 관리되어야 하고 광고에서도 그런 노력의 일환으로 지원되어야 하는 임무가 있다 보니 단기간에 마취와 같은 단순 팔리는 광고만을 한다는 생각도 매우 위험하다고 판단하고 있기 때문입니다.

브랜드 관련 전략 기획서나 다양한 자료를 보는 것도 도움이 많이 된다고 생각합니다. 그런 자료를 통해 사례별로 어떻게 적용이 되는지 광고주별 차이는 무엇인지, 해당 카테고리의 시장에서 브랜드는 어떤 역할인지 등 다양한 것들을 얻을 수 있어 자주 보는 것이 필요하다고 생각이 됩니다.

[AP나 마케팅 스텝과 많은 이야기를 하세요]

브랜드관련 지식을 가장 많이 가지고 있는 스텝은 조사 마케팅 스텝입니다. 10권의 책도 좋지만, 지식과 경험 그리고 실전을 가지고 있는 해당 스텝과 관련된 다양한 이야기를 하다 보면 더 많은 것들을 얻을 수 있는 것 같습니다.

[두려워하지 말고 계속 써보아야 합니다.]

기획서 부분에서도 다루겠지만, 조사를 기반한 브랜드 전략 기획서나 광고 기획서는 작성하는 노하우는 따로 없다고 생각합니다. 어학 공부하듯 많이 보고 이야기하고 써보고 평가받으며 가다 보면 어느 순간 올라와 있는 것 아닌가 합니다. 두려워하지 말고 계속 써보고 리뷰하면 좋을 것 같습니다.

브랜드 관련 지식은 앞으로 늘 중요하고 변화합니다. 단순 광고만을 만든다는 것보다 브랜드 관점에서 해석하여 더 멋지고 힘 있는 광고를 만들기 위해 보다 이에 대한 지식을 쌓으려고 노력했으면 합니다.

## 조사 결과 자체를 넘어 숨어 있는 것도 찾아 내야 합니다.

조사는 기본적으로 사람, 타깃을 대상으로 조사를 합니다. 그러다 보니 실 조사 결과와 우리가 원하는 결과가 다를 수 있습니다. 사람들이 좋다고 해서 내 놓은 제품이나 브랜드가 실제 시장에서 워킹 하지 않는 것이 이런 조사에 대한 맹신 때문에 발생하는 경우입니다. 선거 조사의 경우도 실제 조사와 투표 이후의 결과가 다르게 나타나는 경우도 이러한 맹점을 가지고 있을 때라고 생각합니다. 그러다 보니 조사 데이터에 나타난 숫자만 믿고 모든 것을 판단하지 말았으면 한다는 말을 하게 됩니다.

온라인이나 오프라인으로 이뤄지는 경우 조사 대상자는 질문을 보거나 설명을 듣고 조사에 응하게 됩니다. 조사 대상자는 어떤 경우 좀 불편한 질문들을 듣게 되면 솔직하기 보다는 살짝 그냥 정답같은 대답을 하기도 합니다. 이러한 데이터들이 누적되었을 경우에 왜곡된 결과값을 만들고 그것 자체를 인정하면 잘 못된 데이터를 가지게 되는 결과가 된다는 것입니다.

실무AE들은 하나의 지표만을 보고 판단해 버리는 습관이 있다면 그것은 더욱 조심해야 할 것 같습니다. 왜냐하면 시장에서 마케팅, 광고, 매체 등 각 분야별 목표를 선정하는데 있어 단순한 지표를 보고 그것을 끌어 올리겠다는 것을 쉽사리 결정 내어 버린다면 숨어있는 이야기는 찾을 수 없을 것 같고 그것이 진실이 아닐 수 있을 것 같기도 하기 때문입니다. 예를 들어 OO사의 매출 지표라고 가정하고 Y축은 점유율, X축은 연도라고 생각할 때 지표상에서 보면 점유율이 계속 하락하는 상황이라고 가상해 봅시다. 단순 지표상에서는 시장에서의 지배력이 약화되는 것으로 볼 수 있다고 생각할 수 있을 것 같습니다. 그리고, 그런 상황에서 다른 그래프는 Y축은 구매 비율, X축은 10~80대까지라고 해 보았을 때, 30대의 구매 비율이 가장 낮은 것으로 보인다고 했다면, 정말 30대의 구매비율이 높다고 하여 이를 문제로 바로 규정할 수 있을까? 라는 것입니다.

조사 결과상에서 나타난 그래프를 액면으로만 본다면 그렇게 볼 수도 있다고 생각합니다. 그러나 생각을 조금 다르게 하면 다른 생각을 할 수 있다고 생각합니다. 만약 30대를 더 깊이 있게 조사를 했는데, 성장 잠재력이 전혀 없는 것으로 나왔다면 30대를 끌어올려야 한다는 마케팅 목표가 나올 수 있을까 라는 것입니다.

즉 다시 말해 조사 지표를 그대로 볼 것이 아니라 다양한 지표와 보다 깊이 있는 내용까지 들어가서 실제 마케팅적으로 움직일 수 있는 고객층을 찾아 목표와 전략을 수립해야 하는 것이 아닌가 해서입니다. 가장 높은 연령대는 구매비율이 높으니까 놔두는 것이 아니라, 조사를 깊이 해본 결과 80대의 성장 잠재력이 더 크다면 오히려 30대를 포기할 수도 있지 않느냐 라는 것입니다. 그럼 타깃이 달라지고 그에 따른 마케팅 목표나 전략 전술이 다를 수밖에 없을 것입니다.

이처럼 실무AE들은 광고 전략을 수립하기 위해 많은 데이터를 보지만, 입체적이고 깊이 있는 시각이 없이 단편적으로 해석하여 전략 전술을 수립한다면 그것은 고민을 하지 않은 AE라고 밖에 할 수 없을 것 같습니다. 조사 자료는 때론 어떻게 가공하고 만드느냐에 따라 다른 시각의 아이디어를 만들 수 있는 좋은 기반이 된다고 생각합니다.

따라서, 실무AE가 조사 자료를 그냥 맹신하거나 단편적으로 해석할 것이 아니라 자세하고 넓고 뒤집는 자세가 오히려 더 필요하지 않을까 합니다. 쉽지 않은 부분이지만, 보이는 것보다 보이지 않는 것을 찾아내고 숨은 의미를 인사이트 있게 만드는 것이 어렵지만, 계속 해야 할 업무라고 생각합니다.

**현장의 목소리를 직접 나가서 보고 듣는 경우가 있습니다.**

경쟁PT나 주요 프로젝트를 하다 보면 현장에 나가 소비자의 의견을 듣는 때가 있습니다. 그럴 경우 실무AE들은 나가기 전에 사전 질문 사항을 정리하여 준비하고 촬영이나 녹음할 수 있는 장비를 들고 가게 됩니다. 현장의 목소리를 듣기 위해 나가는 것이 어떤 때는 귀찮고 고역스러운 일이지만 매우 현실적이고 오히려 많은 것들을 얻을 수 있는 기회이므로 적극적으로 현장에 나가는 것을 긍정적으로 생각했으면 합니다.

[주요 질문 문항]

광고주나 브랜드, 제품에 따라 다르겠지만, 영업이나 대리점과 같은 곳이 있는 광고주를 기준으로 보았을 경우 일부 몇 가지 주요항목을 보면 아래와 같습니다.

최근 판매 동향

고객 관련 사항

구매 태도 관련 사항

제품이나 서비스 관련 사항

광고 프로모션 관련 사항

기타 사항 등

대리점이 있는 경우를 기준으로 했을 때 보면 상기의 내용을 중심으로 문의하는 것 같습니다. 판매 동향에서도 최근 전체적인 판매, 해당 제품이나 브랜드별 판매식으로 큰 이야기로부터 작은 이야기로 들어가는 것이 효과적인 것 같습니다. 고객 관련 사항일 경우는 어떤 고객들의 방문이 많은 지 고객 특성은 어떠 한지를 프로필 중심으로 물어보게 됩니다. 구매 태도 관련해서 혹 다른 제품과의 간섭이나 태도 변화가 어떻게 일어나는지를 물어보게 됩니다. 제품이나 서비스 관련해서는 소비자들이 선호하는 것이나 실제 영업현장에서 어떠한 세일즈 톡이 있는지를 물어보게 됩니다.

광고나 프로모션 측면에서는 현재 진행 중인 광고에 대한 평가나 반영했으면 하는 이야기를 질문하여 듣게 됩니다. 프로모션도 현재 진행 중인 프로모션과 과거 프로모션을 현장에서 어떤 반응이 있었는지를 확인하게 됩니다. 기타로는 개인적인 의견이나 바라는 점을 별도로 질문하여 구성하게 됩니다. 전체적으로 보면 처음 방문했을 때 약간은 쑥스러움도 있겠지만, 전체적인 판매나 큰이야기를 시작하여 점차 구체적인 것으로 들어가는 방식이 현장에서 조사하는 좋은 방법이라고 생각됩니다.

현장에서 질문할 내용이 정리가 되면 현장에서 적혀있는데로 딱딱하게 물어보는 것은 오히려 실례가 될 수 있고, 자연스러운 분위기를 해칠 수가 있습니다. 따라서, 질문을 할 경우 내용을 완전히 외우고 있다 대화하는 스타일로 바꾸어 질문하는 것이 필요합니다. 예를 들면 전체 판매 동향도 “최근 판매 동향은 어떻습니까?” 라고 물어보는 것에 비해 “요즘 어떠세요”, “전체적으로 쉬운 것 같지는 않던데요?’라는 식으로 청자가 이해하기 쉽고 최대한 자연스러운 느낌이 들도록 질문하는 것이 필요합니다. 그리고, 질문의 내용을 듣고 그것을 받아서 부가적인 질문도 자연스럽게 하면 보다 편안하고 듣는 사람이 관심을 더 가질 수 있게 되는 것 같습니다. 그리고, 그때 함께 사람이 녹취나 녹화를 하고 필요한 내용에 대한 메모를 하는 것이 필요합니다. 이런 현장 인터뷰 조사가 끝나게 되면 회사로 돌아와 정리를 해야 합니다. 양식자체가 정해진 것은 없지만, 상기와 같이 방문 일시와 위치 인터뷰 주요 내용 등을 간략하게 개요식으로 만듭니다.

인터뷰 내용은 모든 것을 기재하는 것이 아니라 가급적 요약을 해서 시사점이나 압축된 문장이 있는 것을 정리하는 것이 좋은 것 같습니다. 이러한 내용은 차후 기획서나 조사 보고서상에 현장 인터뷰 내용으로 들어갈 수도 있으니 가급적 압축하여 정리합니다. 필요하다면 사진들을 첨부하여 대리점의 포스터 부착이나 POP물 현황 스케치 자료를 넣어도 도움이 됩니다. 현장에 나가는 것은 현장의 목소리뿐만 아니라 제작물 관련해서도 많은 도움을 얻게 됩니다. 사전 준비를 철저히 하고 현장에서는 최대한 현장에 맞게 바꾸어 질문을 하고 현장을 유심히 관할하는 노력이 필요합니다. 그런 노력을 통해 얻어진 경험은 내부에서 회의진행시 많은 현실적이고 창의적인 아이디어를 만들 수 있는 바탕이 된다고 생각합니다.

## 필요에 따라서는 AE가 직접 조사 자료를 만드는 경우도 있습니다.

실무AE들이 하는 것 중 하나가 광고가 온 에어 되고나서 긴급하게 소비자들의 반응을 확인해야 할 때가 있습니다. 이럴 경우는 관련 스텝과 공식적인 업무 진행이 힘든 상황이기 때문에 실무AE들이 주도로 진행을 하게 됩니다.

[간이 평가를 통한 반응 조사]

광고 반응을 확인하는 방법 중에 간이 평가라는 것이 있습니다. 설문지를 간략하게 작성하여 사내나 외부에 대상 타깃이 있는 곳에 가서 설문조사를 하는 것입니다. 조사의 신뢰성은 떨어지지만 어떤 반응과 어떤 개선점이 있는지는 대략적으로 알 수 있다고 할 수 있습니다.

광고의 돌출도, 선호도, 차별점, 이해도 등을 점검하고 기억에 남는 메시지나 장면을 기재하고 자유로운 의견도 넣을 수 있도록 하여 간이 평가를 하기도 합니다. 이러한 조사를 하고 난 후에는 조사 결과에 대한 내용을 간략하게 보고서 형식으로 만들어야 합니다.

정량적인 부분과 정성적인 부분을 함께 조사하였기 때문에 크게는 이 두 가지 부분에 해당하는 내용을 정리하고 반응에 대한 결론을 간략하게 기재하기도 합니다. 전체적인 반응부터 세부적인 항목까지 보고서를 작성합니다.

[온라인 광고 사이트를 통한 반응 확인]

온라인상 공고물이 모여 있는 광고 사이트상에서도 간략한 고객들의 평가 확인도 가능합니다. 집행된 광고물에 대한 긍부정 반응이나 댓글 들로서 이를 확인하는 겁니다. 이때 필요한 것은 하나의 광고물에 어느 정도의 긍부정 수치나 댓글들이 있다면, 대략적인 개수를 확인하여 긍정론과 부정론, 관련 댓글들이 무엇인지 첨부를 해주는 형태로 정리하는 것입니다. 물론 일반 온라인 광고 효과 등과는 크게 차이가 있을 수 있지만, 집행된 광고물의 빠른 평가는 1차적으로 확인할 수 있습니다. 정리시에는 출처와 활용된 댓글의 수 등 정보적인 내용을 함께 기입해 주는 것이 좋습니다, 때에 따라서는 해당 사이트에서 조사를 한 내용이 올라가 있을 수도 있습니다. 그럴 경우는 그러한 내용을 활용하여 보고서에 정리해도 좋습니다. 이외에도 카페나 커뮤니티에서 광고물을 다루는 경우도 있고, 빅테이터 플랫폼 같은 곳에서 언급량을 확인하여 자료로 만드는 경우도 있습니다. 하나의 광고물을 다양한 채널에서의 반응을 취합하여 시사점을 뽑는다면 아주 왜곡된 내용으로 보이지는 않을 수 있습니다. 다만, 실무AE의 많은 수고로움이 필요할 뿐입니다.

캠페인을 지속적이 많이 집행한다면 조사회사와 집행 광고물의 수시 평가를 시스템화하여 리포팅을 받으면 효과적일 수 있습니다. 다만, 비용이 없다면, 상기의 방법으로 진행하되 자료를 서치하는 루트나 정리하는 방법을 포맷화하면 도움이 될 수 있다고 생각합니다. 또한, 정리된 조사 자료는 그 시점에만 끝나는 것이 아니라, 먼쓸리나, 애뉴얼 평가 제안 등에 리뷰 등의 자료로 쓰일 수 있습니다.

## 조사 형태에 따라 구성과 비용이 다릅니다.

조사 비용의 처리 자체는 통상 조사를 담당하는 부서에서 진행을 하지만 조사와 관련된 품의나 협의는 실무AE들이 하게 됩니다. 대표적인 정량조사나 정성조사에서도 비용이 들어가는 부분도 실무AE들이 알고 있어야 하므로 기본적인 사항에 대해서는 이해하고 있는 것이 좋습니다.

통상적으로 많이 진행하는 온라인 조사 비용의 경우는 실사비와 인건비 추가적으로 프로젝트 진행비등으로 구성이 됩니다. 대부분이 인건비에 해당하는 부분이 많으며 각 항목별로 어떤 인건비나 재료비가 들어가는 지를 구체적으로 들어가 있습니다. 난위도가 높지 않은 조사의 경우는 온라인상으로 조사를 접수 받아 일반 조사회사 대비 저렴하게 할 수도 있습니다.

1:1 면접 조사나 대면조사는 면접관이 각 대상자를 면접하여 진행하는 구조이므로 인건비 비용이 높게 들어갑니다. 따라서, 면접관의 수준과 조사 분량, 조사 인원을 합하여 금액을 산출합니다.

조사 비용은 조사 분량 및 강도 등 다양한 상황에 의해서 차이가 있습니다. 또한, 보고서까지 제출하는 것인지, 탑라인이나 로테이블까지 인지에 따라서도 달라지게 됩니다. 정해진 금액이 명확히 있다고 하기는 어렵지만, 통상적으로 각 항목당 어느 정도의 비용이라는 대략적인 개념정도는 있습니다. 처음부터 이런 조사 비용에 대한 것을 합리적이다 비합리적이다 판단하기는 어렵습니다. 결국 여러 프로젝트를 진행하면서 기본 적인 비용 부분에 대한 지식을 가질 수밖에 없습니다. 가장 많이 판단하는 기준은 설문 대상자수를 총금액으로 나누어 하나당 단가를 가지고 비교하기도 합니다. 그것이 기존에 했던 것들과 차이가 어느 정도 있는지를 보면서 합리적인지의 여부를 판단합니다.

정성 조사의 대표적인 FGD는 일정 장소에서 대상자를 모아두고 진행하는 특성이 있기 때문에 정량조사와는 약간 다른 항목이 들어가게 됩니다. 대상자를 찾는 리쿠르팅 비용, 참석자들에게 FGD가 끝난 후 제공하는 사례비, 소비자들의 목소리를 스크랩하는 스크립터비, 사회를 진행하는 모더레이팅비와 룸 대여비등 정량조사와는 다르게 아래와 같은 항목으로 들어가게 됩니다.

조사 비용에 대한 합리성을 따지기 위해서는 정량조사와도 비슷한 방법을 사용하기도 합니다. 1인당 들어가는 조사비용이 어떤지를 기준으로 기존의 조사 비용과 비교를 합니다. 조사 상황에 따라 달라진 부분이 있는지를 확인하여 비용의 합리성 여부를 협의하면 됩니다.

조사 진행 시 정량조사와 정성조사가 동시에 진행되는 경우도 있습니다. 예를 들어 어떤 신제품에 대한 호감도를 조사하는데 정량적인 결과도 필요하고 왜 그 제품이 좋은지에 대한 정성적인 의견들이 동시 필요할 경우 함께 진행합니다. 이럴 경우는 비용이 중복되는 항목이 없는지 확인하는 것이 좋습니다.

어떠한 것이든 프로젝트가 진행되면 프로젝트를 위한 빠른 내부 품의 처리는 매우 중요합니다. 이것의 처리문제로 프로젝트 진행에 문제를 일으킬 수 있으므로 상황이 발생하였을 경우 비용부분에 대한 합리성 여부를 최대한 빠른 시간 내에 담당 스텝과 확인하여 신속하게 품의를 진행해야 합니다.

조사 진행의 비용 처리부분은 조사 스텝만에 업무가 아니라 실무AE 들이함께 진행해야 하는 업무입니다. 비용 처리를 소홀하게 하여 진행 자체에 문제가 생기지 않도록 주의해야 합니다.

## 보고서화 되지 않은 로테이블을 볼 수 있어야 합니다.

정량조사를 진행하게 되었을 경우 실사이후 통계처리 진행됩니다. 데이터의 오류가 크지 않다면 통계 처리를 통해 로테이블이 나오게 되는데, 간혹 실무AE들이 로테이블을 우선적으로 보게 되는 경우가 있습니다. 조사 테이블에는 숫자 중심으로 작은 글씨로 나와 있는 것이 보통이라 처음 볼 경우는 복잡하고 당황스럽기도 할 수 있습니다. 사실 관련 스텝들의 협의가 완료되어 보고서로 보는 것이 일반적이지만, 여러 가지 상황에 의해 실무AE도 어쩔 수 없는 상황에서 진행해야 할 경우가 있습니다.

[시급한 보고서 작성 시]

우선 조사 데이터 탑라인이나 보고서가 나오는 시점이 광고주 보고 시점과 차이가 많이 나서 시간이 없을 경우입니다. 이 때는 조사 담당자와 실무AE가 함께 로테이블을 조사회사로부터 받아 간이 보고서 작성에 적용하게 됩니다. 전체적인 내용보다는 광고주 내부 상황상 특정 지표를 빠르게 확인해야 할 때 많이 발생하는 것 같습니다.

[세부적인 데이터 리뷰 필요 시]

보고서만으로 들어온 자료에 대하 보다 세부적인 데이터 점검이 필요할 때도 로테이블 자료를 요청하기도 합니다. 조사 보고서에는 통상 큰 지표 중심으로 앞에서 정리하고 세부 조사 결과를 첨부하여 옵니다. 그러나, 이 자료 보다 타깃별 소득별 더욱 구체적으로 알기 위해 필요로 하게 됩니다. 물론 관련 자료는 조사 보고서가 전달될 때 함께 전달되기도 하는데 전달이 안될 경우도 있어 별도 요청이 필요할 수도 있습니다. 복잡한 숫자로 가득한 로테이블을 볼 때 보다 쉽게 보는 몇 가지 방법이 있다고 생각합니다.

[목차를 인지해야 합니다]

로테이블은 페이퍼 분량 자체가 매우 많습니다. 따라서 한 장씩 볼 경우는 눈이 피로 해져서 필요한 자료를 찾기 전에 지쳐버릴 수도 있습니다. 따라서, 우선 목차를 보면서 어떤 부분을 집중적으로 보아야 할지를 알아야 합니다. 또한, 해당 페이지를 찾게 되면 별도로 표시를 해 두어 그래프 작업 시 다시 찾아야 하는 불편이 없도록 해야 합니다. 아무래도 이런 많은 분량을 보면서 찾을 때는 사전에 어떤 자료를 찾는 것이 정확하겠다는 생각을 기본적으로 가지고 있어야 합니다

[항목별 샘플 사이즈를 확인하세요]

찾고자 하는 페이지를 찾게 된 후 데이터를 보게 되는데 이때 샘플 사이즈와 설문에 응한 수치를 함께 보아야 합니다. 샘플 사이즈가 상대적으로 작은데 설문에 응한 데이터만 고려하여 자칫 무의미한 데이터를 보고 있을 수 있기 때문입니다.

[자료의 보관에 신경 쓰세요]

조사 보고서의 분실은 자사의 정보를 경쟁사에 넘기는 것과 같습니다. 따라서, 조사 보고서나 이런 로테이블 자료도 함부로 책상위에 놓고 다니는 일이 없어야 합니다. 반드시 자료 확인 후에는 별도로 관리하는 곳에 잠금 장치를 해서 보관하는 것이 필요합니다. 로테이블을 활용한 작업은 자주 있는 업무는 아니지만 간혹 해야 할 발생할 수 있습니다. 복잡한 데이터를 겁내지 말고, 기본적인 방법을 알고 처음부터 공부한다 생각하고 차분히 처리했으면 합니다.

## 보고서보다는 FGD현장에서 인사이트를 찾을 수도 있습니다.

정량조사의 경우 실사가 들어가면 실무AE들이 실사 과정에 관여하는 것은 거의 없습니다. 그러나 FGD는 실무AE와 조사 담당자들 필요에 따라 광고주와 함께 참여하는 중요한 자리입니다. 소비자들의 생생한 반응 속에서 현장에서 인사이트를 얻어가야 하기 때문입니다. 광고주와 함께 참석하여 FGD의 경우 일정이 잡히면 실무AE는 광고주에게 일정과 장소를 알려주게 됩니다. 참여하는 사람에 따라 시간이 다릅니다. 직장인이나 학생 등 일정한 일과가 있는 사람은 업무나 학업이후에 가능하며 주말에 진행하는 경우도 있습니다.

[FGD현장]

소비자들은 일정한 회의실 같은 곳에 모이게 됩니다. 큰 거울이 보통 있으면 그 뒤편에 조사스텝, 실무AE, 광고주, 스크립트 등이 함께 지켜보게 됩니다. 모더레이터라는 진행자가 질문 내용에 맞추어 진행을 하게 되는데, 사전에 FGD를 지켜보는 참석자들에게 조사 대상자들의 일반적인 나이나 성별이 있는 리스트를 받게 됩니다. 별다른 이상이 없다면 진행자의 인사에 맞추어 FGD가 시작됩니다.

[대상자 리스트와 위치의 확인]

조사 대상자 리스트는 아주 일반적인 그 사람의 기본적 프로파일을 보여주게 됩니다. 정량적 조사에서도 소득수준, 나이에 따라 설문에 따른 반응이 다르듯 라이프 스타일에 따라 FGD에 같은 나이 때의 사람이라도 다르게 이야기할 수 있습니다. 따라서, 실무AE들은 리스트를 보면서 기본적으로 어떤 프로파일의 사람이 어디에 앉아 있는지를 1

차적으로 확인해야 합니다.

[FGD 진행 시 수시로 매모하세요]

FGD의 맨 마지막에는 모더레이터가 들어옵니다. 혹시 필요한 질문이 없는지 문의하기 위해서 모니터 룸으로 들어오기도 합니다. 이런 상황을 모르고 있다면 질문 꺼리를 생각하기에는 너무 시간이 없을 것입니다. 마무리되면 바로 조사 대상자들이 가버리기 때문입니다. 따라서, 실무AE들은 프로파일이 적혀 있는 페이퍼나 질문지 페이퍼에 궁금한 사항을 수시로 메모를 해야 합니다. 물론 모든 질문을 다 할 수는 없습니다. 다만, 메모한 상황에서 핵심적이라고 생각하는 질문을 추려서 최대한 콤팩트하게 질문할 수 있는 것들을 문의해야 합니다. 조사를 보고 있는 다른 참석자들도 질문을 할 수 있기 때문에 과도한 질문은 오히려 조사 대상자들이 더욱 지치게 만들 수도 있고 성의 없이 질문을 받아 줄 수도 있기 때문입니다.

[조사 대상자를 자세히 관찰하세요]

FGD에 참석한 조사 대상자들이 오가는 이야기를 들어보면 재미있는 현상이 있습니다. 물론 모든 FGD가 그런 것은 아닙니다. 참여 대상자 중 어떤 사람은 모든 이슈에 대해 부정적으로 반응하는 사람이 있습니다. 또 어떤 사람은 좋다고만 이야기하는 사람이 있고, 또 어떤 사람은 침묵을 거의 유지하며 진행자가 억지로 끌어내면 조금 이야기하고 다시 침묵으로 돌아가 버리는 대상자들이 있습니다. 진행자 입장에서도 난감하지만 이를 바라보는 사람들 입장에서도 혹 조사 분위기를 망칠까 두려워집니다. 더구나 목소리 큰 사람이 이긴다는 이상한 한국의 속설처럼 자신의 논리나 이야기가 맞다고 주장만 하는 사람도 있습니다. 이런 여러 사람들이 포함되어 조사가 진행되는데 실무AE들은 말하는 사람들의 태도나 이야기를 잘 들으면서 혹 조사 진행에 방해가 되는 사람이 아닌지를 잘 살펴야 합니다. 당초 리쿠르팅 단계에서 신경을 써야 하겠지만, 가급적 안해 본 사람을 조사 대상자로 선정하다 보니 어떠한 사람인지 사전에 모니터가 되지 않을 수 있습니다. 이런 사람들이 포함되어 있는 상태에서 FGD는 모더레이터의 역할이 매우 중요합니다. 불필요하게 FGD 분위기를 망칠 수 있는 사람에게는 통제를 해야 하며 오히려 말을 잘 하지 않는 사람들은 말을 많이 할 수 있도록 유도를 해야 합니다.

실제 스크립트가 나온 뒤 결과를 볼 경우에도 만약 문제가 많았던 FGD였다면 결과를 그대로 맹신하는 것은 매우 위험합니다. 방법적으로는 그런 독특한 부류의 사람들이 이야기하는 것들은 오히려 배제하고 듣는 것이 나을 경우도 있습니다.

[체력이 좋아야 합니다]

FGD가 하루 만에 끝난다면 재미도 있고 집중도 될 듯하지만 저녁 시간 몇 시간하고 또 며칠 동안 계속된다면 실무AE나 다른 사람들도 매우 지치게 됩니다. 어둡고 좁은 모니터룸에 길게 있다 보면 체력적인 부담이 클 수 있으므로 FGD 참여전 컨디션 관리를 하는 것이 필요할 수도 있습니다. 그룹만 다를 뿐 반복되는 내용으로 계속 해서 하게 될 경우는 실무AE들로 로테이션하면서 참석하는 것도 방법일 수 있습니다. 필요한 경우는 녹화된 영상을 받아 볼 수 있습니다.

## AP나 마케터를 적극적으로 지원해야 할 때가 있습니다.

광고회사에 AP나 마케터는 전략적인 광고 전략, 브랜드, 조사 관련하여 전체적인 큰 방향성에 있어서 매우 중요한 역할을 한다고 말씀드렸습니다. 실무AE들에게 있어 이런 역할로 인해 광고주 업무상에서 AP나 마케터가 더욱 중요한 역할을 하게 되고 이에 실무AE들이 오히려 더 많은 지원을 해야 할 경우가 종종 있습니다.

[애뉴얼 PT]

광고주가 차기 년도 사업 계획을 작성할 경우 광고회사로부터 연간 프리젠테이션을 받는 경우가 있습니다. 하반기에 하는 것이 일반적인데 큰 규모의 조사가 진행될 때가 있습니다. 이런 조사를 통해 다음년도의 큰 전략방향을 구상하게 됩니다. 이때 조사 및 전체적인 방향성을 잡는 것이 매우 중요하다 보니 AP나 마케터의 역할이 크게 필요합니다. 이때 조사 관련 진행이나 당해연도 분석자료를 위해 광고비, 광고물 등 다양한 서포트 요인들이 발생하게 됩니다.

[광고주 워크샵]

애뉴얼PT를 워크샵 상에서도 진행할 수 있고 별도의 큰 이슈로 인하여 이를 위한 워크샵이 진행될 수도 있습니다. 다양한 주제로 워크샵이 진행되기 때문에 꼭 AP나 마케터만이 중요하다고는 할 수 없지만, 워크샵을 할 정도의 상황이 된다면 브랜드, 시장, 신상품 등 굵직한 이슈 등으로 하게 되는 경우가 많아 서포트 해야 할 요인들이 발생하게 됩니다. 예를 들어 현장 인터뷰나 광고물, 광고비까지 그리고 필요에 따라서 AP주도하에 상품 아이디에이션까지 진행하게 됩니다. 이럴 경우는 실무AE가 광고주의 상황을 아무래도 가장 잘 알고 있기 때문에 많은 도움을 줄수 있어야 한다고 생각합니다.

[경쟁PT 및 각종 PT]

경쟁PT나 다른 보고시에 AP나 마케터의 중요도가 높아질 때가 있습니다. 브랜드 전략이나 중장기적인 커뮤니케이션 전략을 수립할 경우도 조사를 실시해야 할 수도 있고 이를 기반으로 시사점을 뽑아 전략을 짤 수도 있습니다. 이럴 경우 함께 아이디에이션을 해야 하고 실무AE 입장에서는 광고적으로 연결할 수 있는 콘셉트 적인 것이나 제작의 접근법을 동시에 고민하면서 가장 효과적인 전략을 구상할 수 있도록 지원할 필요가 있다고 생각합니다.

[광고주 교육 및 보고]

광고주의 요청에 의해 브랜드 전략 보고나 브랜드 사례 연구 등의 보고자리가 있을 수 있습니다. 이럴 경우도 AP나 마케터에게 있어서도 공식적인 업무가 되므로 공식적인 업무 요청을 해야 하는 것은 물론 광고주 상황이나 분위기를 가장 잘 알고 있는 AE들이 많은 자료 지원을 해 주어야 합니다.

광고주 담당 AP나 마케터들 프로젝트에 해당 광고주 실무AE들의 지원은 언제나 필수적이며 이는 하나의 관심일 수밖에 없습니다. 일만 전달하고 진행을 그냥 하도록 두는 것은 자칫 광고주 분위기를 읽지 못하고 오히려 광고주의 마케팅 방향과 배치되는 잘 못된 아이디어가 나올 수도 있습니다. 물론 좋은 아이디어로 좋은 방향을 제시할 수도 있겠지만, 고민의 폭이나 공감도가 떨어질 수도 있습니다. AP나 마케터들이 주도적으로 업무를 진행할 경우는 함께 한다는 생각으로 지원을 아끼지 말아야 합니다. 또한, 단독으로 진행되는 프로젝트가 될지라도 담당 제품이나 브랜드와 관련이 있다면 필요에 따라서는 지원을 할 필요도 있다고 생각합니다. AP와 AE는 동반자이지 일을 주고받는 관계가 아니라는 것을 반드시 인지하고 항상 함께 하려고 하는 자세를 잃지 않았으면 합니다.

## 광고주의 조사에 반드시 가급적 참여하세요.

광고회사 단독이나, 광고회사와 광고주가 공동으로 조사를 진행하는 경우도 많이 있지만, 광고주 단독으로 조사를 진행하여 정기적으로 보고 받는 경우도 많이 있습니다.

[광고 효과 트래킹 보고]

광고를 연중 지속하는 광고주의 경우 광고 효과를 트래킹하게 됩니다. 광고주와 조사회가 계약을 하여 정기적으로 온라인이나 면접 조사를 통해 매월 정기적으로 보고를 하게 됩니다. 이럴 경우 광고에 관한 조사 결과가 들어가게 되므로 광고주가 보고 일정을 알려오면 보고 시 배석하여 관련내용을 들어야 합니다.

[상품 반응 조사]

광고주의 신제품이나 리뉴얼 된 제품 등 상품이나 서비스 관련 조사를 FGD나 정량조사 등을 통해 광고주 주도로 진행되는 경우가 있습니다. 때론 광고회사와 TFT를 결성하여 조사 전 과정에 실무AE가 참석하는 경우도 있습니다.

광고주와 광고회사가 TFT를 발족하여 진행한 프로젝트는 상품의 개발 단계부터 IMC의 전개까지 중간에 다양한 조사가 공동 혹은 광고주 주도로 이루어 집니다. 프로젝트의 성격에 따라 정량이나 정성의 조사가 이루어지며 이때 광고회사가 주도하기도 하고 광고주가 주도하기도 하지만 TFT의 일원일 경우는 주도하는 회사와 상관없이 적극적인 참여가 매우 중요합니다.

[브랜드 관련 보고]

광고주에 따라 다르지만 광고주가 매년 정기적으로 브랜드 지표를 종합적으로 분석한 자료를 광고주 마케팅 스텝 전사가 공유하는 자리가 있습니다. 브랜드의 거시적인 지표부터 미시적인 지표까지 비용이 매우 많이 들어가는 조사 특성상 광고회사까지 참여하여 내용을 공유하기도 합니다.

광고주 주도의 조사 결과 보고나 진행 시 광고회사가 참여하는 것은 광고주의 진행 사항을 알 수 있는 자리이자 다양한 정보를 얻을 수 있는 좋은 기회입니다. 상기의 참여 건 이외에도 다양한 상황에서 조사에 참여하게 되는데 참여 후에는 광고주에게 요청하여 관련 자료를 대외비가 아닌 이상은 공유해야 합니다. 특히 이런 자리에는 실무AE는 필수이며 조사 및 마케팅 스텝과 필요에 따라서는 제작, IMC관련 스텝 등이 함께 참여할 수 있으므로 실무AE들이 중간에서 많은 스텝이 참여해야 하는 자리라면 일정 관리에 신경을 써야 합니다.

!

# 두 번째 이야기
# 자동차 광고 기획 팁

기존 '어느 광고인 수첩' 책에 담긴 것부터 본 책의 조사 마케팅 업무까지 광고회사에서 AE가 알아야 할 노하우를 제가 아는 선에서 말씀드린 것 같습니다. 지금부터는 제가 다양한 광고주 중 자동차 관련 AE가 알면 좋은 '자동차 광고 기획 팁'에 대해 몇 가지 이야기 드리겠습니다. 저도 다양한 브랜드를 경험하였지만, 자동차는 약 14년 정도 담당을 했던 것 같습니다. 짧으면 짧고, 길면 긴 시간이었지만, 개인적으로는 자동차 광고 기획은 어렵고, 힘든 것 같습니다. 그런 만큼 성취감도 컸던 것 같습니다. 모든 광고주가 각 개별 특성이 있고, 전문성이 있다고 생각합니다. 자동차 광고를 하지 않았을 때는 그저 자동차 광고를 볼 때 그냥 차 노출하고, 달리는 것이 전부가 아닌가 했습니다. 그런데 실제 해당 업무를 해 보고 나서 느낀 것은 완전히 달랐습니다. 매우 어렵고 고난도의 전문성을 요하는 부분인 것 같았습니다.

아마 자동차 관련 광고나 마케팅을 하시는 분께서 이 글을 읽고 계신다면, 동의하실 수 있지 않을까 합니다. 그래서, 본 책에서 특별히 이 부분에 대한 제가 경험한 팁을 몇 개 공유하고자 합니다. 본 내용은 해당 업무를 하면서 저 개인적으로 'Account Report'를 작성하였고, 이것들 중에서 몇 가지 정리하여 여러분들과 공유하고자 합니다.

(저자가 자동차 프로젝트 시 작성하였던 Account Report 양식)

**Account Report**

| DATE | TBD | |
|---|---|---|
| 내용 | • 부문 | • TBD |
| | • 업무 이슈 | • TBD |
| | • 업무 처리 | • TBD |
| | • 시사점 | • TBD |

자동차 광고에 관심이 있거나 하고 계시거나 하는 분들에게 도움이 되시기를 바랍니다.

*본 팁은 구분없이 정리하였고, 보안이나 문제가 되는 부분들은 제외하고 작성하였음을 미리 말씀드립니다.

## 3D는 아이디어 단계부터 일정을 고려해야 합니다.

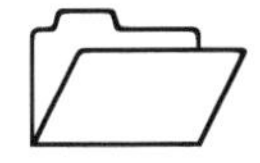

광고안에서 3D는 많이 활용하는 제작 기법입니다. 자동차에서도 3D를 많이 사용합니다. 기본적으로는 나오는 자동차를 촬영하고, 좀더 광택이 나도록 하기 위해 후반 3D를 하는 경우도 있고, 아예 3D 안을 만드는 경우도 있습니다. 다만, 중요한 것은 전체 일정입니다. 론칭 일정이나 온 에어 일정이 빠듯한 상황에서 3D 아이디어를 내었다면 전체 마케팅 일정까지 큰 낭패를 볼 수 있습니다. 더구나 경영진 보고까지 끝난 상황이라면 더 큰 낭패가 될 수 있습니다. 따라서, 기획에서는 전체 일정을 고려하여 광고주 미팅 시, 이후 제작 협의 시 관련 사항을 스텝과 공유하여 처음부터 관련 안을 내지 않던가 일정을 고려한 3D 안을 제시하도록 조율하는 것이 필요합니다. 자동차에서 3D 이야기는 매우 많이 나옵니다. AE들은 3D의 프로세스, 기술 종류, 일정, 견적 등을 사전에 학습해 놓으면 좋습니다.

## BGM 사용에 대한
## 선제적인 대응 노하우가 있는 것이 좋습니다.

광고의 배경음악 BGM도 꼭 자동차 광고가 아니어도 이슈나 문제가 되는 경우가 종종 있습니다. 개인적으로는 광고주 제안 시 유명 곡을 제안할 때 관련 이슈가 생기는 것 같습니다. 보통 녹음실에 오디오PD들이 음원 저작권 등을 확인해 주는데 이것 또한, 단계 많은 경우도 있고 확인하는데, 시간이 많이 걸리는 경우도 있습니다. 시안 제시 시에 음원이 들어가 있다면 가급적 실무 협의 단계에서 사용 가능 여부가 확인되는 것이 좋습니다. 보고를 다 하고 나서 최종 확인 시 문제가 생길 경우 재 보고해야 하거나 클레임을 들을 수도 있는 상황이 있을 수 있기 때문입니다. 어떤 경우는 1차 확인이 되었는데, 2차 확인 시 저작권자가 유고되어 예상치 못한 이슈가 발생하기도 합니다.

## IMC경험은 AE 역량의 스펙트럼을 넓혀 줍니다.

저도 들은 이야기로는 자동차라는 제품이 내연 기관차에 통상 약 2만 5천개~3만개의 부품이 들어가고, 전기차는 약1만5개, 수소차는 약 2만3천 개의 부품이 들어간다고 합니다. 차에 따라 부품이 많고 적음을 떠나 그 만큼 많은 스텝들이 자동차 한 대를 출시하기 위해 노력하고 움직입니다. 자동차 AE입장에서는 해당 자동차 회사의 스텝 구성과 업무 R&R을 정확히 이해하고, 거기에 최적화된 IMC를 제시하는데, 역량을 집중할 필요가 있습니다. 일반적인 광고 IMC 하듯이 접근 하다보면 자칫 상기 내용을 이해 못하고 이상적인 이야기를 하는 AE가 될 수도 있습니다. 또한, 론칭, 유지, 경쟁 강도에 따라 제시하는 IMC의 스케일과 견적도 잘 고려해야 합니다. 수동적인 AE는 아마 광고주에게 끌려가고 있을 것이며, 적극적인 AE는 광고주와 파트너 쉽으로 다양한 IMC 문제를 해결 해 주고 있지 않을까 합니다. 다양한 차종과 상황을 고려한 IMC 경험으로 스펙트럼을 넓혀야 할 것입니다.

## 광고효과 조사 자료를 잘 이해하고 활용해야 합니다.

자동차 회사는 기본적으로 규모가 크며, 많은 마케팅 예산을 사용합니다. 그에 맞추어 브랜드 관리나 광고효과에도 매우 민감하게 반응하고 체계적으로 대응하고자 움직입니다. 만약 자동차 광고주가 광고효과 조사를 트래킹하여 월별로 관련 내용을 공유하고 모니터링 하고 있다면, 어떤 프로세스와 스킴으로 조사를 하고 회의 시 어떤 이야기들이 오가는 지를 잘 보아야 합니다. 또한, 모니터링 결과를 보고 협의 시 담당 AE입장에서 잘 이해하고 인사이트 있는 이야기를 하는 노력도 해야 합니다. 또한, 관련 자료를 공유 받을 경우 집행되는 자동차 브랜드 팩트 북에 업데이트하여 관리해야 합니다. 만약, 조사 결과에 문제가 있거나 지표상에 관리해야 할 포인트가 있다면, 이후 대응 방안에 대한 제안도 적극적으로 해야 할 수 있어야 합니다. 해당 자동차 회사에서 활용하고 운영하는 조사 시스템이나 자료에 대한 이해도가 높아졌다면, 필요에 따라서는 기획에서 응용할 수 있으면 더욱 좋습니다.

**광고물 집행이후 반응에 신경써야 합니다.**

TV광고나 동영상 광고물은 집행하게 되면 기본적으로 모니터링을 합니다. 광고주나 광고회사, 담당의 스타일과 성향에 따라 모니터링 하는 방식은 다를 수 있습니다. 자동차 같은 경우는 일반적인 광고 모니터링 사이트도 있지만, 특히, 자동차 관련 전문 카페나, 커뮤니티, 유투버들의 활동 등 좀더 입체적으로 들여다볼 필요가 있다고 생각합니다. 예를 들어 해당 자동차의 주행 장면이 원래 기능으로는 되지 않는데, 만약 이것이 연출되어 나갔다면, 아무리 멋있어도 해당 온라인이나 SNS에서는 부정 바이럴이 발생할 수 있습니다. 그래서, 광고주나 담당 AE들은 역정보를 넣거나 조금이라도 오해할 수 있는 포인트가 있는지 세심하게 살피는 것이 필요합니다. 일반 광고 평가 사이트와는 달리 전문 블로그나 커뮤니티에서는 제품관련 부정 이슈가 만들어 질 수 있는 근거지가 될 수도 있기 때문입니다. 긍정 이슈는 잘 퍼지지 않지만, 부정 이슈는 금방 확산되므로 관련 댓글이나 평가를 잘 보아야 합니다.

## 영상 자막 심의나 시사 시 문제가 없도록 사전에 확인해야 합니다.

지금은 광고심의가 과거에 비하여 좋아진 것 같습니다. 크게는 시간과 절차가 많이 간소화된 것 같습니다. 그리고, 최근에 보면 자동차 광고들에 자막이나 스펙을 많이 넣지 않는 것 같습니다. 개인적으로 자동차 광고 영상에서 자막 등에 심의나 집행 전 신경 써야 하는 문구들이 있는 것 같습니다. 예를 들어 가장 많이 활용하는 '동급 최초, 최대'등 급내에서의 우위를 나타내는 내용이나 각종 신 기술 탑재 시 소비자 오인이 안되는 자막을 잘 처리하는 등 차 관련된 제품, 기술적 문구에 잘 못되는 것이 없도록 사전에 확인해야 합니다. 경쟁이 치열한 차급이나 차종에서는 이런 부분 하나가 매우 중요한 세일즈 포인트 이기 때문에 명확한 근거가 있는지 집행되었을 때 심의나 소비자 문제가 없는지 반드시 사전에 확인하고 문구를 넣을 수 있도록 해야 합니다. 물론 카피라이터가 최종 카피나 스펙 문구를 만들지만, 이를 쓸 수 있도록 기획에서 명확히 알려주어야 실수가 없습니다.

## 영상촬영 시 포토스텝 어렌지 조율을 잘 해야 합니다.

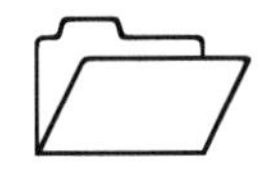

영상 광고 촬영 시 인쇄 촬영이나 콘텐츠 제작을 위한 스텝과 동시에 운영하는 경우가 종종 있습니다. 경험이 없는 기획이나 제작은 함께 진행될 때 이것 때문에 문제가 발생하기도 합니다. 가장 유의해야 하는 것은 스텝 간 협업이 잘 이루어 질 수 있도록 사전에 진행 사항을 공유해야 하는 것입니다. 가장 많이 하는 것이 광고 촬영과 인쇄 촬영을 동시에 진행하는 경우입니다. 광고주 입장에서는 제작을 따로 하는 것보다는 함께 진행하는 것이 효과적이라고 생각하기 때문에 보고나 PPM, 견적 합의 등 함께 진행되는 프로젝트로 AE가 중간에서 조율해야 합니다. 실제 진행 시에도 조명이나 각종 소품, 차량 리워크 스텝이 업무 분장 문제로 현장에서 문제 생기지 않도록 해야 합니다. 모델이 들어갈 경우도 조명, 메이크업, 스타일리스트 등 영상과 인쇄는 회수로 카운팅 할 수 있으므로 사전에 명확히 해서 현장에서 문제없게 조율해야 합니다. 제작 스텝이 정리하는 것이 아닌 기획이 정리해야 하는 부분입니다. 계약과 견적, 업무 롤 등이 맞물려 있기 때문입니다.

## 자막 처리도 자동차에 가급적 하지 마세요.

영상 광고 제작 시 카피나 역정보 자막을 넣는 경우가 있습니다. 개인적인 경험이지만, 자동차 광고에서는 가급적 히어로 자동차가 나오는 상황에서는 가급적 카피나 역정보 자막이 차에 올라가거나 겹치는 것을 주의해야 할 것 같습니다. 광고적인 장치라고 하더라도 전체적으로 메인 자동차에 장애가 되어 보이는 카피, 자막은 그리 좋은 방법은 아닌 듯합니다. 특히, 역정보 자막처리시에는 최대한 차에 겹치지 않게 사이즈나 위치를 잘 보셔야 합니다. 더구나 움직이는 동영상에서 겹치는 컷이 있을 수 있으므로 전체적으로 세심하게 확인해야 합니다. 더구나, 차급이 높을 경우는 상대적으로 카피 사이즈나 서체를 더 신경써서 처리해야 합니다. 만약에 카피나 자막이 많은 자동차 콘티라면 촬영 단계에서 해당 자막들을 고려하여 앵글이나 사이즈를 고려하면서 촬영해야 합니다.

## 가끔 CD가 되어야 할때도 있습니다.

자동차 광고 제작물을 만들다 보면 이런 생각이 들 때가 있습니다. '뭔가 정리가 이렇게 안되지, 제작이나 후반 스텝이 잘 이해하고 있는 것일까? 추후 수정해서 리뷰나 보고가 잘 될 수 있을까?' 등의 의문이 들 때가 있습니다. 여러 경우가 있겠지만, 자동차 제품이나 기술적인 디테일함과 맞물려 제작물의 수정이 필요할 때 제작 스텝끼리만 이야기하고 후반이나 외주 스텝과 회의하면 정리가 잘 안되는 경우가 있습니다. 이럴 경우는 기획이 제작CD와 협의하여 외주나 후반 업체 와 함께 회의하고 정리하는 기질이 필요할 수도 있습니다. 통상은 제작의 영역에서는 제작CD가 제반 제작관련 업무를 진행하지만, 분명 자동차 광고 제작 시 이해가 잘 안되어 어려운 부분이 발생하는 경우가 분명 있습니다. 자주 있는 일은 아니지만, 이런 상황에서 문제없을 것이라는 생각을 했다가 추후 수정 제작물이 나왔을 때 난감한 상황이 발생할 수도 있습니다.

## 가능한 대안을 검토하되 최선의 방법을 선택해야 합니다.

자동차 광고 제작, 촬영 시 신 기술이나 기술 표현에 대해서는 매우 신중하고 대안을 최대한 많이 검토해야 합니다. 문제는 시간이 이슈입니다. 시간이 충분하다면 단계별로 확인하면서 가면 좋겠지만, 통상 관련 부분까지 충분한 시간이 있지는 않습니다. 사전에 시안 개발, 콘티 보고, PPM, 촬영 직전, 촬영 중, 후반까지 관련 이슈가 계속 문제가 되는 경우가 있습니다. 따라서, AE입장에서는 우선적으로 해당 기술에 대한 이해를 충분히 하고 있어야 하며, 국내외 관련 레퍼런스를 잘 공부하고 모아 두는 것이 필요합니다. 어떤 경우는 사례가 없어 관련 기술 레퍼런스를 만들어 전문가나 연구소 등에 확인을 받는 경우도 있습니다. 그럼에도 불구하고 집행 시 소비자들에게 클레임이나 문제가 있는 부정 댓글이 올라오기 도 합니다. 그때마다 사실상 기획은 대안을 고민하고 있어야 합니다. 엔지니어과 소비자 사이에서 대안을 내어놓을 수 있는 사람이 저는 기획이라고 생각하기 때문입니다.

**감독과 프로덕션, CD와의 호흡이 중요합니다.**

우리는 광고 제작 시 '새로운 크리에이티브가 필요해, 아니야 기존에 잘 하는 스텝이 필요해' 라는 고민에 빠질 때가 있습니다. 물론 두 가지다 의미가 있습니다. 그런데, 자동차의 경우는 기본적으로 자동차에 대한 경험이 더 중요하게 고려되는 것 같습니다. 광고주 입장에서도 경험이 없는 CD, 감독, PD들과 작업하는 것은 위험 부담을 가지고 할 수 있기 때문에 전부 새로운 스텝과 진행하는 경우는 문제가 생기지 않을까 합니다. 자동차 광고 콘티를 해석하는 방법, 촬영 콘티로 트리트먼트, 촬영 준비, 보안, 현장 진행, 차량 리워크, 촬영 장비 운영, 해외 촬영 시 프로듀싱 관련 노하우 등 자동차 광고 제작에 관해서는 일반적인 것과는 전문 분야가 있고, 잘 아야 하고 챙겨야 하는 것이 더 많은 것 같습니다. 이런 관점에서 경험이 있는 스텝과 호흡을 맞추는 것이 매우 중요합니다.  새로움도 중요하지만, 경험을 기반으로 한 새로움이 좀더 나은 것 아닌가 합니다.

## 게재지 확인을 위해 멀티 플레이어가 되어 합니다.

자동차 인쇄광고가 집행하게 되면 광고주나 광고회사는 게재지를 확인합니다. 기본적인 내용 외에도 자동차 컬러, 자동차 내외관 문제가 없는지, 카피 오탈자 여부, 스펙이나 이벤트 등 여러 요소를 다시 확인합니다. 차이가 많이 나는 것은 신문사 별로 인쇄 품질이 조금씩 다르다는 것입니다. 만약 이러한 이슈가 크게 작용하는 인쇄광고의 경우는 사전에 광고주와 잘 협의하고 교정지나 파일이 출고된 후에 인쇄소까지도 필요하면 확인을 해야 합니다. 출고 이후 짧은 시간 안에 동시 다발적으로 이루어지므로 빠른 판단으로 진행을 해야 합니다. 여러 군데 출고가 된다면, 확인이 필요한 매체사 별로 인쇄 시간을 확인하여 움직여야 합니다. 담당 AE가 경험이 없다면 이런 상황에서 매우 당황할 수 있습니다. 따라서, 사전에 일부러 라도 확인 차 미리 경험해 두는 것도 필요합니다.

*신문 매체사는 신문사마다 인쇄 품질이 조금씩 차이가 있으며, 공식적인 가판은 없어졌지만, 가장 먼 곳을 중심으로 먼저 인쇄하고 가까운 곳을 가장 나중에 인쇄합니다.

## 견적이 무너져도 솟아날 구멍은 있습니다.

자동차 TV광고, 영상의 견적과 관련해서는 기획이 여러 가지를 알고 있어야 한다고 생각합니다. 몇 가지 예를 들면 아래의 것들이 있을 것 같습니다.

- 기본적인 콘티의 이해/국내 및 해외 촬영 여부
- 자동차 보안 및 리워크 관련, 탁송
- 자동차 촬영 장비, 촬영 일수, 장소
- 3D분량, 미술, 소품, 모델/감독 및 스텝
- BGM, 사운드 디자인/기존 견적과 사례 등

일반적인 광고 촬영과는 다르게 자동차와 관련된 다양한 요소를 사전에 알고 있어야 견적서를 보고 이해하며, 광고주와 커뮤니케이션 가능하다고 생각합니다. PPM까지 다 하고나서 견적을 뽑게 되었을 경우 광고주가 생각하는 비용과 차이가 클 수 있습니다. 견적으로 인해 촬영 직전 큰 문제가 없으려면, 사전에 기본 가이드를 어느 정도 고려하고 광고주나 스텝과 협의하면서 진행하면 문제를 최소화할 수 있습니다. 그럼에도 불구하고 어려움을 겪는 경우가 있습니다. 그렇기 때문에 사전에 위의 기본적인 내용을 잘 알고 있는 것이 문제를 극복하는 방법임을 이야기 드립니다.

## 공략 포인트를 명확히 하고 해석하는 훈련을 해야 합니다.

자동차 광고 기획이나 전략을 수립할 때 다른 카테고리와 가장 큰 차이점은 차량이 가지는 장점을 이해하고 가고자 하는 방향에 맞게 해석을 정교하게 해 나가는 기술을 잘 가지고 있는 것이 매우 중요합니다. 예를 들어 타깃 관점에서 해당 차량의 핵심 포인트가 프리미엄 함을 가져야 한다면, 그 차가 가지고 있는 핵심 장점들이 프리미엄 하게 해석이 될 수 있어야 합니다. 안전 사양이 일반적인 편안하고 든든함이 아닌 여유로 해석될 수 있어야 하고, 뛰어난 성능과 퍼포먼스는 앞서가는 사람의 자신감으로 해석될 수 있어야 합니다. 큰 포인트에서 이야기 드렸지만, 해당 차종이 공략하고자 하는 중심이 정해졌다면, 나머지 큰 관점이 해당 관점을 지원하는 형태로 구성이 되어야 합니다. 그래야 고객들이 보았을 때 한 편이든 여러 편이든 각 편이 하는 이야기는 다르지만, 전체적으로 지양하는 것이 하나로 수렴되게 느낄 수 있습니다.

## 공유가 습관화되어야 합니다.

광고회사에서 '프로젝트 공유'는 아주 기본 중의 기본이라고 생각합니다. 물론 자동차 광고가 아니어도 다른 모든 광고 프로젝트에서도 공유는 기본입니다. 다만, 프로젝트를 진행할 때 광고주, 스텝과 업무 진행 시 불편해지는 상황 중 많이 본 것 중 하나가 공유가 안되어 발생하는 문제를 꽤 본 것 같습니다. 너무 바빠서, 전체 메일로 이미 공유한 상태라 리마인드가 제대로 안 되어서 등 여러가지 이유로 공유가 잘 안되어 문제가 되는 경우가 있습니다. 그렇다고, 공유의 난발을 하라고 말씀드리는 것은 아닙니다. 공유의 시점, 공유를 하는 방법, 리마인드의 시점, 공유가 잘 되었을 경우의 대처 등 해당 이슈마다 '어떻게 하고 있느냐' 를 명확히 가지고 있었으면 한다는 것입니다. 자동차 광고의 경우 개인적으로는 아주 중요한 스케줄은 너무 중요해서 잘 공유되고 챙겨지는 것 같습니다. 그런데, 자동차 광고 제작 관련 자동차 탁송, 네임 플레이트, 브랜드 디자인, 3D 데이터, 리워크 업체 보안, 부품 수급 등 차와 관련된 디테일한 업무 공유가 안되어 클레임 받는 경우를 많이 보았습니다. 일반적인 광고 업무 공유는 당연하지만, 차와 관련된 공유 사항도 더 많아 짐을 알면 좋겠습니다.

**광고를 넘어 컨텐츠 기획자가 되어야 합니다.**

디지털, 콘텐츠가 많아진 상황에서 어떤 경우는 일반적인 자동차 광고 전략으로는 이해가 안되는 스킴, 플로우가 있기도 합니다. 특히, 디지털 상에서 콘텐츠는 이슈화가 메인일 경우는 아무래도 이슈화 되는 콘텐츠의 '포인트'를 찾는 것이 더 의미가 있을 수 있기 때문입니다. 확산성을 고려할 때는 그 포인트가 더 파급력이 있고 효과적일 수 있습니다. 가벼운 예를 든다면 차종의 브랜드 이름이나 일반적인 '가솔린, 디젤' 같은 개념도 띄울 수 있는 요소가 됩니다. 시장에서 디젤 차종이 뜨던 시절이 있었습니다. 그럴 때 어렵고 복잡한 개념이 아닌 '우리 차를 디젤 차종에 최고로 띄어보자' 라는 관점에서 '이런 디젤!!' 이라는 말로 이슈화를 만든 적도 있습니다. 아예 전략적인 것을 배제하자는 것이 아니라, 디지털, 콘텐츠 환경에서 확산성을 고려할 경우는 보다 쉽고 빠르게 활용할 수 있는 콘텐츠 아이디어가 더 효과적일 수 있다는 이야기를 드리는 것입니다. 또한, 해당 프레임이 만들어지면 좀 더 전략적으로 보일 수 있도록 팩트와 RTB를 잘 넣어 단단하게 만들면 더 좋을 수 있습니다.

**광고에 광고주 브랜드가 출연할 경우 세부적인 사항을 확인하고 광고물 사용 여부를 광고주와 협의해야 합니다.**

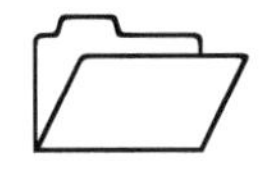

자주 있는 일은 아니지만, 광고주 브랜드 차종이 다른 광고에 나올 때가 있습니다. 통상 다른 광고에 자동차가 나오면 브랜드를 안 보이게 CG처리하고 차를 변형하는 것이 일반적입니다. 그런데, 어떤 광고에서는 광고주의 자동차를 문제시되게 활용하여 이슈가 생기는 경우도 있습니다. 과거 타이어 광고인데, 접지력이 좋다고 하여 유명 자동차 브랜드를 사용하다 해당 자동차의 페인트가 벗겨지는 상황이 연출된 것이 광고로 나가 이슈화 된 적이 있었습니다. 또 어떤 경우는 비교 우위의 자동차 광고를 만든다고 하여 경쟁 브랜드 로고를 제대로 지우지 않아 문제시되었던 경우도 있습니다. 다른 카테고리 광고에서 연락이 오는 경우도 있습니다. 위에서 언급한 일반적인 로고 삭제나 외관 변형이 아니고 자동차를 문제시되도록 사용된다면 광고주와 협의해야 할 수도 있습니다. 또한, 잘 못 사용된 다른 광고물이 있다면 확인하고 광고주 협의 후 관련 사항을 해당 브랜드에 전달하여 조정할 필요도 있습니다.

## 광고제 수상 유연하고 용감하게 대처해야 합니다.

자동차 광고를 하다 보면 언론사, 광고제 관련 수상 이슈들이 생겨 관련 업무를 광고주와 하게 되는 경우가 있습니다. 과거에는 신문사들이 많았지만, 지금은 일반 광고제나 디지털 쪽 분야가 늘어난 것 같습니다.  만약, 수상 관련 이슈가 광고주가 참여해야 하는 상황이 되면 의전 이슈가 발생하게 됩니다. 실무자급이 참여할 경우에는 크게 의전할 필요가 없지만, 광고주 쪽 중역이나 경영진이 참석할 경우는 좀 더 신경 써야 합니다. 관련 내용은 전달되더라도 현장에서의 대응이 더 중요하다고 생각합니다. 만약 기획, AE 사이드에서 의전을 해야 한다면 수상 행사에 대해 명확히 알고 있어야 하며, 큐시트와 동선을 사전에 파악하고 현장도 미리 가서 확인해야 합니다. 물론 광고주 실무자와도 공유를 해야 하고, 현장에 도착했을 경우 가장 중요한 것은 '물 흐르 듯, 유연하되, 용감하게' 해야 한다고 생각합니다. 구체적으로 더 설명하기는 어렵지만, 개인적인 경험으로 보면 자연스럽지만, 편안하게 느껴지게 하는 것이 포인트라면 포인트 인 것 같습니다.

## 국내 광고 해외 적용에도 나름 노하우가 필요합니다.

자동차 광고주는 국내외로 마케팅 하는 경우가 있습니다. 해외 광고물을 국내에 적용한다든지 국내 광고물을 해외에 적용한다든지 상황에 따라 다양하게 발생합니다. 이때 꼭 정해진 것은 아니지만 기본적으로 확인해야 하는 것들이 몇 가지 있습니다.

- 어떤 풋티지인가?
- 풋티지 사용 국가는 어디인가?
- 모델이 들어갈 경우 모델도 사용하나?
- 데이터의 형태는 어떻게 주어야 하나?
- 일정/비용지급은 어떠한가? 등

사용 국가의 경우도 통상 국내 한정으로 사용되기 때문에 모델, 장소 등에 대한 퍼밋을 해당 촬영 지역 코디나 프로덕션에 문의해야 합니다. 또한 BGM을 사용할 경우도 문제가 되므로 사전에 사용 여부를 확인해야 합니다. 통상 급하게 연락이 오는 경우가 많지만, 반드시 상기 내용을 확인하고 제공해야 합니다. 무리하게 진행할 경우 비용 발생이 사후에 걸리거나 계약 관계의 문제로 심할 경우 소송이 제기될 수도 있습니다. 더구나 해외의 경우는 시간대가 다르므로 바로 피드백을 주지 않습니다. 따라서, 연락온 담당에게 해당 내용을 설명하여 이해를 시키는 것이 필요할 수도 있습니다.

## 기대하지 못했던 공감이 되는 해석을 만들어 내야 합니다.

우리는 광고 기획을 할 때 제품이나 팩트에 대한 관점과 해석이 라는 이야기를 듣습니다. 혹 이런 개념이 없다면 우선적으로 공부를 해야 할 수도 있습니다. 콘셉트와는 다른 개념이고 해당 브랜드나 제품을 어떻게 새롭게 바라볼 것이냐 라는 관점이고, 이후 이를 정립한 워딩이 콘셉트가 될 것입니다. 저는 자동차에서 관점과 해석이 매우 중요하다고 생각합니다. 그런 것이 없는 광고는 결과적으로 그냥 달리고 끝나는 뻔한 광고가 될 것입니다. 담당하는 차가 어떤 변화를 가지고 있고 이를 '최근 고객들에게 어떻게 해석해보겠다' 라는 의미이지만, 이를 실제로 하는 것은 어려웠던 것 같습니다. AP와 많은 회의를 통해서 저도 많이 배우고 좋아졌던 것 같습니다. 더 어려웠던 것은 기존과는 다른 새로운 관점과 해석이 필요하기 때문에 최근의 트랜드나 타깃 성향도 잘 읽어야 합니다. 또한 너무 작은 해석이면 마이너하고 그렇다고 너무 크면 벙벙한 느낌이 들 수 있습니다. 그래서, 자동차 광고 과제가 주워졌을 때, 위의 내용들을 고려한 해석과 관점이 필요합니다.

**기본적으로 시장의 이해, 커뮤니케이션의 목표, 컨셉트
이 세가지를 몸에 익혀야 합니다.**

자동차 광고전략을 수립할 시 다양한 것을 알고 준비를 해야 겠지만, 실제 전략을 정리할 때 명확한 시장의 이해, 그 이해를 바탕으로 한 커뮤니케이션 목표, 그리고 그 목표를 기반으로 트랜드나 타깃을 고려하여 콘셉트를 정리해야 합니다. 뻔한 이야기 같지만, 가장 많이 실수하는 것이 시장을 이해하는 것에서도 '이번 광고를 통해서 No.1 OO이 되겠습니다. 인지도 최고가 되겠습니다. 경쟁 브랜드를 이기겠습니다.' 라는 어떻게 보면 그냥 던지는 전략이나 이해는 광고주에게 오해를 일으킬 수도 있습니다. 예를 들면 우리가 후발 브랜드로서 어떠한 상황이지만, 정교하게 보면 이런 니즈를 공략할 수 있고 우리 차의 이러한 강점이 이렇게 어필 될 수 있어 이런 측면에서는 우리 차가 좀더 우위에 설수 있도록 커뮤니케이션 해 보고자 합니다. 라는 이야기로 좀더 정교한 그림을 그려 주는 것이 필요합니다. 또한, 입체적으로 내용 본 것처럼 백업을 하여 기획의도의 당위성을 높여야 합니다. 리니어 하거나 나이브한 접근은 가급적 지양하고 좀더 입체적이고 정교하게 보는 노력을 하셨으면 합니다.

## 기존의 방향에서 나오지 않는다면 다른 맥락에서 카피의 방향을 찾아야 합니다.

최근 자동차 광고에서는 카피나 자막의 비중은 줄고 영상으로 전달하려는 경향이 높아지는 것 같습니다. 어떻게 보면 핵심 카피의 역할이 더 중요해진 것이 아닐까 하는 생각도 하게 됩니다. 어떤 경우는 제작 및 촬영이 진행되었지만, 최종 카피가 녹음 시점까지도 합의가 안되는 경우 있습니다. 시안 보고 시점에 이야기가 나와서 추후 시사 시에 수정 카피를 보고하게 되면 그런 상황이 될 수도 있습니다. 대안 카피를 기존 방향에서 워드만 바꾸어 해결하면 좋겠지만, 그러지 않는 경우도 있습니다. 그럴 경우는 기존의 다른 대안들도 보아야 하고 어떤 경우는 다른 맥락에서 아니면 아예 다른 관점에서 바라보고 대안을 제시해야 할 수도 있습니다. 가장 기본적으로는 어느 정도 합의한 카피에서 조금씩 바꾸어 협의할 경우 오히려 더 잘 안될 수도 있기 때문입니다. 숲 안에만 머무르면 해결이 안되고 공회전 될 수 있습니다. 이럴 경우는 과감히 빠져보는 것도 필요합니다.

## 기타 제작물을 위해 뾰족함이 느껴지게 전달해야 합니다.

특히, 론칭하는 자동차의 통합 광고물에서 관련 이슈가 발생합니다. ATL나 메인 제작물에서 잘 적용될 수 있으나 다른 세부적인 매체, 채널 제작물에서 적합성이 떨어 질 수 있어 매체 가이드를 잘 보고 최적화하는 것이 필요합니다. 또한, 인쇄 제작물들은 각 단계별 메시지 정리가 중요합니다. 사전 계약, 프리론칭, 론칭의 광고 목표가 달라야 하고 다른 만큼 메시지의 디렉션도 별도로 가야 합니다. 더구나 매체 별 특성까지 반영해야 하는 것을 볼 때 보다 구체적이고 뾰족함이 느껴지는 이야기를 제작에게 전달해 주어야 합니다. 자칫 애매하거나 너무 큰 이야기를 한다면 나온 결과물 자체가 벙벙해지기 때문입니다. AE들이 구체적이고 분명한 디렉션을 주고자 한다면 머릿속에 자신이 생각하는 그림이 있어야 한다고 생각합니다. 그것이 답은 아니지만, 제작들에게 구체적으로 전달할 수 있는 좋은 출발점이 되기 때문입니다.

## 기획은 촬영전 장비와 컷에 대한 이해와 복기는 필수입니다.

자동차의 촬영마다 핵심적으로 힘을 주어 촬영해야 하는 씬이 있습니다. 많이 하는 촬영 중에 암촬영과 리깅샷이 있습니다. AE는 국내, 해외에서 PPM을 하고나서 현지에서 해당 PPM내용이 약속한 데로 진행 되는지에 대해 확인하고 그것이 잘 수행될 수 있도록 옆에서 챙기는 것이 AE의 중요한 일중의 하나라고 할 수 있습니다. 그러다 보면 각종 촬영 샷에 대한 이해가 필수입니다. 통상 촬영을 나가면 AE는 베이스 캠프에 있는데, 이때 촬영을 한바퀴 나갔다 온 데이터를 확인하게 됩니다.(암카를 따라가기도 하는데, 통신 장비가 좋을 때는 잘 보이나 그렇지 않을 때는 촬영 후 확인)이때 혹 개선해야 될 씬이나 조정이 필요한 것이 있으면 CD를 통해 전달하면 됩니다. 각종 암과 같은 장비는 드라이버와 그립, 그리고 암 주행자와의 호흡이 아주 중요하고, 제일 중요한 것 중 하나는 바닥상태입니다. 바닥이 지나치게 울렁거릴 경우 촬영 풋티지 전체가 흔들릴 수 있어 사전에 바닥상태를 확인하는 것이 필수입니다. 리깅샷은 일단 차량에 장착하여 긁는 촬영기법이라고 생각하면 되는데, 피사체를 중심으로 화면이 움직인다고 보면 됩니다. 그런데 차량에 리깅샷은 기본적으로 장비를 부분에 앵글에 맞추어 장착하는 시간이 매우 오래 걸립니다. 최소 2시간 이상이 소요되는데, 이때 너무 촬영이 오래 걸릴 경우 차량을 동일 칼라로 두대로 진행하는 경우도 있습니다.

**긴박한 온 에어, 훌륭한 팀워,**

**세상에 불가능 한 것은 없습니다.**

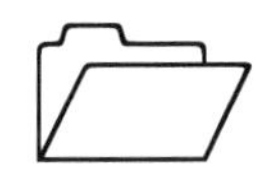

촬영에 난이도가 있고, 출시 일정이 빠듯할 경우는 많은 부분에서 효과적으로 할 수 있도록 작전을 짜야 합니다. 다양한 부분에서 온 에어를 맞추기 위해 훌륭한 팀웍을 발휘합니다. 제작단계에서 몇 가지 이야기를 드리면, 어떤 경우는 사전에 3D가 들어가기도 합니다. 촬영 이후 3D 일정이 맞출 수가 없기 때문에 사전에 감안하여 작업에 들어가고 필요하면 3D 스텝이 촬영장에 나와 촬영 진행하는 것을 모니터링 하면서 합을 맞추기도 합니다. 어떤 경우는 NTC나 촬영 편집을 현지에서 진행하는 경우도 있습니다. NTC는 퀄리티 때문에 하는 경우가 있으나, 편집을 현지에서 하는 경우도 속도를 높이기 위해서 하기도 합니다. 저도 호텔방에서 편집을 확인 적도 있는 것 같습니다. AE입장에서는 어려운 일정에 대해 숙련된 스텝이 있다면 최대한 가능한 일정을 협의해서 뽑아 낼 수 있는 노하우가 있어야 합니다.

## 다양한 제작물에 대한 관리는 스케줄표로 꼼꼼히 챙겨야합니다.

론칭 프로젝트나 유지 프로젝트 모두 많은 제작물들이 동시 다발적으로 진행되게 됩니다. 더구나 론칭 프로젝트의 경우는 신차 특성상 많은 채널을 활용하므로 유지 프로젝트에 비하여 더 많은 제작물이 필요합니다. 통상 TV의 경우 론칭 날 저녁, 신문은 론칭 날 다음식으로 집행하는데, 다른 극장, 옥외, 디지털 등은 대부분 론칭 날 맞추어 집행합니다. 하지만, 소재를 넘기는 일정은 편집 및 각 매체 별 심의 일정에 따라 다르기 때문에 사전에 각 채널 별 일정에 맞추어 최종 제작물이 완료되어야 합니다. 자칫 TV만을 중심으로 챙기다 보면 다른 제작물을 챙기지 못하는 상황이 발생하므로 AE는 프로젝트 전체를 보는 관점에서 스케줄을 관리해야 합니다. 이때 제작물을 관리 운영하는 상황판이 아주 유용하게 사용됩니다. 우선 모든 제작물이 나와 있는 종합 스케줄표를 만드는 것이 필요합니다. 종합 스케줄에는 모든 제작물과 업무 관련된 내용을 완료 시점까지 세분화하여 항목을 나누고 주간 단위로 광고주와 진행되는 업무를 넣어야 합니다. 그리고 주석이 필요할 경우는 각 항목에 별도로 메모하여 잊지 말아야 할 내용을 자세하게 기재해야 합니다. 필요에 따라서는 업무 중요도에 맞추어 수첩이나 워크 시트에 표기해서 반복적으로 챙길 수 있도록 정리해야 합니다. 두번째로 일일진행현황표를 만드는 것입니다. 종합 스케줄표를 만들었다 하더라도 그날 진행하는 동시다발적인 일을 모두 기재 하기란 어렵습니다. 따라서, 그날 발생하는 일과 향후 진행 일정에 대한 내용을 별도 스케줄로 정리하여 관리해야 합니다. 두 가지의 스케줄을 업무가 발생할 때마다 작성하는 것은 매우 귀찮을 수 있습니다. 가급적 업무가 종료된 뒤 차근차근 정리하면 전체적으로 누락된 업무나 미진 한 업무를 챙길 수 있습니다. 처음 만들 때는 불편할 수 있지만, 해당 스케줄을 스텝들과 공유하면서 전체적인 내용을 알 수 있다는 장점도 있으니 적극 활용하면 꼼꼼하게 챙길 수 있을 것입니다.

## 데이터의 관리도 중요하지만,
## 공유 시에 유의해야 합니다.

ATL에서 작업된 영상 데이터가 디지털에서 일부 CG를 하여 콘텐츠로 사용되는 경우가 있습니다. 통상 ATL, 디지털 후반 스텝이 다를 경우는 자칫 상호간에 불편하거나 오해가 생기지 않도록 AE가 중간에서 중간에서 어렌지를 잘 해야 합니다. CM에서 NTC본이나 CG의 원본 데이터를 공유하는 것은 노하우가 있는 것이므로 업체 간이나 대행사 간에도 잘 공유하지 않습니다. 그러나 불가피한 상황에서 꼭 해당 컷을 사용해야 한다면 광고주를 통하여 해당업체에서 소스를 제공할 수 있도록 연결해야 합니다. 하지만, 전체 소스를 달라고 당돌하게 요청하여 감정까지 상하게 하는 것은 금기이므로 주의해야 합니다. 또한, 해당 컷을 편집실이나 현장에서 확인시켜 부분적으로 받을 수 있도록 어렌지 해주는 것도 방법이며 데이터를 받을 때는 어떠한 형태로 받을지도 사전에 협의하는 것이 필요합니다. 어떤 경우에는 데이터를 원본으로 작업한 곳에서 어렌지하여 진행하는 경우도 종종 있습니다.

## 차량의 주행, 기술적 특성을 잘 알고 있어야 합니다.

자동차 광고를 보면 주행 장면에서 드리프트하는 모습이 종종 나오곤 합니다. 주행 성능이나 퍼포먼스를 콘셉트로 가지고 있다면, 더 그런 것 같습니다. 관련해서 AE들은 차량의 주행, 기술적 특성을 잘 알고 있어야 합니다. 예를 들어 드리프트를 많이 하는 차량은 후륜 구동 차량들입니다. 만약, 전륜 차량의 경우는 사실상 드리프트에는 적합하지는 않습니다. 드리프트라기 보다는 미끄러진다는 표현이 맞을 겁니다. 또한, 전륜 세단의 경우 드리프트 시에 오토 사이드 브레이크 같은 것이 들어가 있으면, 더 안됩니다. 따라서, 이런 부분들이 제거되어야 미끄러지는 드리프트가 가능합니다. 후륜이야 드리프트에 최적화되어 있습니다. 다만, 촬영 시 영상미가 있으려면 타이어에서 연기가 나야 하는데, 좋은 타이어는 연기가 나지 않아 특수 장치를 하거나 타이어를 안 좋은 것을 사용하여 연기를 내기도 합니다. 다만, 너무 과한 드리프트 시 타이어가 손상되어 휠까지 문제 생기는 경우가 있으니 사전에 엔지니어, 드라이버와 잘 상의해야 합니다. 또한, 타이어도 손상을 대비하여 여분을 준비하는 센스도 있어야 합니다.

## 디지털 방송, 송출 시스템 변화를 고려하고, 소재 출고 시 화질을 확인해야 합니다.

AE들은 방송 환경의 송출, 화질에 대한 변화를 빠르게 알고 대응해야 합니다. 과거 디지털 방송으로 전환됨에 따라 촬영부터 소재까지 신경 써야 할 부분이 많아졌던 적이 있었습니다. 예를 들어 촬영시부터 16:9로 기존의 4:3 촬영은 하지 않게 되었고, HD 촬영은 기본이 됐습니다. 더구나 소재를 출고할 때 어떤 시간대는 16:9 HD소재를 전달하고 어떤 소재는 SD로 전달을 해야 하므로 소재를 전달할 때 신경을 더 써야 했습니다. 전환기 시점일 경우에는 이러한 부분도 세심하게 챙겨 합니다. 방송 시간대 중 HD 방송 시간대가 있을 경우 광고가 HD로 붙을 수 있는데, 이때 SD로 주게 된다면 화질도 떨어지고 화면 사이즈도 줄어들 수밖에 없습니다. 그리고 SD로만 운영되는 곳에는 SD로 제공해야 합니다. 다시 말해서 화면이 잘리는 사고를 방지하기 위해서는 소재 작업 시 SD, HD를 모두 작업을 하고 매체팀에 소재를 넘길 때 두 가지 모두 넘기면 이러한 문제를 발생시키지 않을 수 있습니다. 방송, 화질 환경은 계속 업그레이드됩니다. 전환기 시점에 이점을 놓치지 말고 잘 챙기시길 바랍니다.

## 때론 기본으로 돌아가 신선한 방향을 고민해야 합니다.

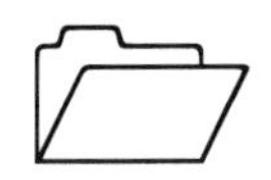

시장이 분석되고 해당 자동차에 대한 스펙이 다 이해되고 나면, 이론적인 전략 수립에 대한 이야기 말고 선수들끼리는 이런 이야기를 많이 합니다. '이번에 이 차를 어떻게 해석하지?' 다른 분들은 어떻게 하시는지 모르겠지만, 저는 자동차 광고 전략 수립에 있어서는 해석이 관건이라고 생각합니다. 이성적인 뇌와, 인문학적인 뇌를 다 활용하여 고객들에게 어떠한 차로 이야기할 것인지 해석이 매우 중요합니다. 문제는 아무리 해석하도 안되는 때가 있습니다. 그럴 경우는 아예 방향을 원점에서 다시 생각하기도 합니다. 가까운 산을 다녀오기도 하지만, 시간이 된다면 탭핑을 최대한 멀리까지 하고 다시 돌아오는 한이 있더라도 필요할 수 있습니다. 그래야 신선한 방향이 도출된다고 생각합니다. 분명 그럴 때가 있습니다. 아무리 생각해도 별로이고 아닌 것 같다는 생각, 그때는 바로 새롭게 떠나는 것이 필요한 때라고 생각합니다.

**론칭쇼 영상이나 설명회 영상도 사전 자료 수집의 주요한 자료가 됩니다.**

국내 신차를 론칭 할 때나 다양한 해외 차량의 자료를 수집할 때 영상 자료는 전략을 짜거나 크리에이티브를 준비하는 과정에서 빼놓을 수 없는 중요한 과정입니다. 크게 일반적인 자료 수집 단계와 론칭 차량 사전 준비 단계 두 가지로 나누어 관련 자료를 찾는 노하우를 키워 놓는 것이 필요 할 수 있습니다. 평상시에 자료를 준비하는 차원의 자료 서칭 시는 모터쇼나 해당 브랜드의 신차 론칭 시점에 맞추어 유투브에서 새로운 프로모션 영상이나 론칭쇼 영상을 서칭하는 것입니다. 특히 모터쇼에서는 해당 신차의 프로모션 및 설명 영상을 얻을 수 있는데, 현장에 가보지 못했다면 아주 주목해서 찾아봐야 할 부분입니다. 그렇다고 무조건 유투브에서 아무 검색어를 넣을 필요는 없습니다 모터쇼가 있었다면 연도와 모터쇼가 열리는 도시이름을 검색하여 1차적으로 자료를 받고 이후 주로 나온 브랜드가 우측에 검색되면 해당 차량을 추가 검색하여 다운받아 놓으면 됩니다. 그리고 론칭 차량이 모터쇼에 나온다면 프로모션 영상은 물론 개발자가 나와 소개하는 영상 또한 다운받아 공유하고 주목해서 볼 필요가 있습니다. 국내에서는 다른 차원으로 론칭 되겠지만 해외에서 전달하고자 하는 1차적인 차의 개념에 대해 사전에 이해할 수 있으며, 론칭 클리닉에서 관련 사항에 대한 점검의 질문을 던질 수도 있기 때문입니다. 더구나 매년마다 나오는 경쟁사의 영상은 해당차의 전략적 콘셉트를 담고 있으므로 커뮤니케이션이 지향하는 바를 미리 알 수 있는 영상이라 미리 보아 둘 필요가 있습니다. 더구나 자동차를 커뮤니케이션하는 AE입장에 서는 영상미에 대한 스터디가 되고 크리에이티브를 보는 시각을 한 차원 높일 수 있으므로 해당 영상을 지나치지 말고 폴더를 만들어 관련 영상을 주기적으로 보면서 공부해 둘 필요가 있습니다. 일반적인 통계 자료를 찾는 것 이외에도 영상자료는 광고물뿐만 아니라, 시즌 및 이벤트 상황의 영상에서도 중요한 시사점을 찾을 수 있으므로 주목하고 찾아야 합니다.

## 론칭일 프로젝트의 막바지이지만
## 새로운 시작입니다.

자동차에서는 신차 론칭 프로젝트가 가장 중요한 프로젝트 중 하나입니다. 물론, 프로젝트를 하나만 하는 것은 아닙니다. 제가 경험한 론칭 차종의 하루를 살짝 보면서 여러분들은 어떠신지 한번 비교 해 보는 것도 좋을 것 같습니다. 아니시면 이렇게 론칭 일에 챙겨 보시는 것도 좋습니다.

첫 번째로 TV소재의 온 에어 진행 사항에 확인합니다. 소재가 나갔다고는 하나 TV의 시간대와 사운드 음량의 문제점이 없는지 매체팀과 관련 부서에 확인해야 하며, TVCF에 익일부터 게재되므로 관련 댓글이나 반응에 대한 모니터링를 준비해야 합니다.

두 번째로 관련 제작물들의 소재 전달 사항의 확인입니다. 극장, 옥외, 지하철, 온라인, 모바일, 비즈링 등 TVCM과 관련된 다양한 제작물들이 있으므로 소재가 사전에 나간 것 수정이 필요해서 수정중인 소재 등 부가적인 제작물들을 함께 확인해야 합니다. 더구나 소재가 멀티일 경우는 초수 믹스가 발생할 수 있으므로 사전에 광고주와 협의하여 정리해야 합니다. 또한 관련 사항을 해당 미디어 스텝에게 사전에 공지하여 소재 집행에 착오가 없도록 해야 한다.

세 번째로 신문광고가 통상 론칭일 다음날 나가게 되므로 원고상태에 대한 최종 광고주 컨펌을 받고 교정에 이상이 없는지 확인해야 합니다. 교정은 JPEG로 확인 후 출고를 진행하고 오탈자 여부는 반드시 확인해야 한다. 매체 집행 스케줄이 이미 나와있을 것이므로 석간이나 경제지 여부를 사전에 확인하여 출고 시간에 문제가 있을 경우 매체팀과 팀과 광고주에게 미리 이야기를 해 놓고 출고 준비를 해야 합니다.
네번째로 해당일에 론칭쇼가 있거나 미디어 데이로 축소하여 진행하는 경우가 있습니다. 론칭쇼의 경우는 소재가 잘 집행되는지 현장에 미리 나가 확인해보기도 하며, IMC차원에서 생중계할 경우 사무실에서 해당 중계가 이상 없는지 온라인팀과 모니터해야 합니다. 서버가 폭주하여 온라인 중계가 제대로 되지 않아 큰 클레임을 받은 적도 있었습니다. 미디어 데이 같은 경우는 AE들이 현장에 나가 보지는 않는데, 그렇더라도 미디어 데이시 기자들이 발표회를 보고 기사를 송고 온라인 매체들에 노출이 이후 바로 되므로 관련 기사를 반드시 모니터해 사전 반응을 확인할 필요가 있습니다. 마지막으로 최근 프리론칭 등을 통해 신차의 사전 계약이 우선 이루어지므로 광고주를 통해 사전 계약의 최종 집계결과를 확인하여 팀 내에 공유하는 것이 필요합니다. 론칭일 당시에는 프로젝트가 마무리 단계이지만 이후 언론이나 판매의 반응을 살펴보면서 커뮤니케이션적으로 지원해야 할 상황이 있지 여부를 확인 판매가 지속적으로 원활하게 진행될 수 있도록 광주와 협의하여 제안 및 진행을 하는 것을 잊지 말아야 합니다.

## 론칭 클리닉전 가설을 세우고 예상 이슈를 찾아내어야 합니다.

자동차의 신차, 개조차, 연식변경 이슈를 고려하여 조사(클리닉)을 진합다. 물론 자동차 회사별로 조금씩은 다를 것입니다. 신차에 대해서는 공적으로 고객 조사는 필수적을 할 것으로 예상됩니다. AE, 기획들이 그 조사에 참여하는 경우가 있습니다. 자동차 조사 클리닉은 규모도 크 시간도 오래 걸립니다. 그만큼 론칭 후에 긴 시간동안 시장에서 역할을 해야 하기 때문이라고 생각합니다 이런 조사 클리닉에 참여 요청을 받았다면, 해당 차급의 시장, 차종, 기존 차에 대한 이해를 우선적으로 하고 개인적인 질문과 가설을 가지고 있는 것이 좋은 것 같습니다. 그 런 생각을 가지고 조사 클리닉에 참여할 경우 차의 변화 포인트에서 주목할 점, 고객들이 반응하는 부분들을 잘 보고 질문을 할 수도 있고, 인사이트를 뽑아 낼 수도 있습니다. 방대한 분량의 조사 결과로 뭔가를 뽑아 내기에는 복잡하고 어려울 수 있습니다. 가설을 기반으로 접근하는 방식이 좀더 효과적인 접근법이라고 생각합니다.

**모델 이슈는 언제나 좋은 IMC의 소재가 됩니다.**

사실 자동차 광고에는 유명모델을 다른 카테고리에 비하여 많은 사용하는 것 같지는 않았습니다. 그런데, 디지털 콘텐츠의 다양화 차종 간의 상품 경쟁력이 비슷해지면서 유명모델을 활용하는 것이 더 늘어난 것 같습니다. 물론 자동차 홍보 대사 같은 것은 기사나 PR 활동에서 필요하여 의무적으로 활용했던 것 같습니다. 개인적으로는 자동차에서도 모델이슈가 딱 맞았던 경우가 있었습니다. 유지 차종이고 시장에 경쟁이 치열한 볼륨 차종인데, 이슈가 없는 상황에서 고민하다 뭔가 모델의 철학과 해당 차종의 철학이나 상황이 딱 절묘하게 맞아 활용했던 적이 있었습니다. 전략이 들어갈 때부터 모델을 제안하였는데, 최종 시안까지도 살아남아 IMC까지 진행했던 기억이 있습니다. 어떤 분들은 '안되면 모델 전략이냐' 라는 이야기를 할 수도 있습니다. 저도 그런 생각이었는데, 자주는 아니지만, 정말 잘 맞는 셀럽이 있다면 전략적 근거를 모와 제안하고 활용할 수도 있다고 생각합니다. 물론, 모델 쪽과 조심스럽게 작전을 잘 짜는 스킬이 필요할 수도 있습니다.

## 변수가 많은 스포츠 이벤트 순발력이 필요합니다.

자동차 브랜드는 스포츠에 관심이 많이 있습니다. 여러 가지 중에서도 월드컵, 올림픽 등 대형 스포츠 이벤트에 국한하여 몇 가지 이야기 드립니다. 월드컵, 올림픽과 같은 대형 이벤트와 연계하여 커뮤니케이션을 설계한다면 우선 규정을 잘 알아야 하고 실행 시점에서는 시나리오별로 설계를 해야 합니다. 예를 들어, 월드컵 관련이라고 하면 특히, 공중파 TV나 신문 등은 그 상황에 맞추어 사전에 미리 소재를 준비하여 대기해 두었다가 집행 타이밍에 맞추어 진행해야 하는 어려움과 복잡함이 있습니다. 월드컵의 경우도 본선 3경기의 시간에 맞추어 소재를 준비하는 것은 물론 이겼을 때와 졌을 때, 16강에 떨어졌을 때를 고려하여 준비해야 합니다. 시나리오별 소재는 우선, 스텝 부서 간의 공조, 광고회사에서는 공조에 대한 것이 항상 AE입장에서는 발생하는 것 같습니다. 그리고, 그날의 신문이나 언론의 분위기를 반영하는 카피나 비주얼 찾기, 제작팀이 찾을 수 있을 것 같지만, 시간이 없을 경우는 기획팀이 사전에 가이드로 제공하는 것이 좋습니다. 확인에 또 확인을 하는 디테일함 아무래도 이와 함께 제일 중요한 것은 시나리오를 빠르게 판단하여 운영할 수 있는 순발력인 것 같습니다.

## 비즈링, CM과는 분명히 다르므로 특성을 이해하고 제작합니다.

비즈링은 통상 일반 라디오나 TVCF와는 조금 다르게 진행합니다. 전화가 오는 상황이므로 비즈링 초반에 인사 등의 인트로로 최대한 비즈링 특성을 살리는 것이 필요합니다. 또한, 초수의 제한이 상대적으로 없습니다. 따라서, CM처럼 초수에 쫓겨 급하게 녹음될 필요가 없으므로 최대 30 ~40초 이내로 할 수 있는 메시지를 충분히 넣어 녹음하면 됩니다. CM과는 다르게 심의가 없어, 여러 가지로 크리에이브 접근이 가능 합니다. 예를 들어 아이들이 상품명이나 구체적인 상품 설명이 일반 CM에서는 불가능하지만, 비즈링에서는 듣는 사람이 즐겁거나 잘 들릴 수 있도록 아이들이 나와 녹음을 해도 크게 문제가 없습니다. 다만, 비즈링에서는 소재를 전송하고 코딩해야 하는 프로세스가 일반 소재를 전달하여 온 에어 하는 것보다는 오래 걸리므로 최소 일주일 이전에 소재를 넘겨야 합니다. 마지막으로 비즈링은 전화음 상태이므로 BGM과 멘트가 복잡하거나 소리가 작을 경우 실제 전화상에서는 잘 들리지 않고 듣는 사람이 짜증을 낼 수 있는 개연성이 있으므로 녹음이 완료된 상황에서 온 에어 사이즈로 들어보는 것은 CM보다도 필수적인 단계이므로 반드시 확인해야 합니다.

## 사전 계약 광고 시에는 판매 일보 상황을 예의 주시합니다.

보안 사항이기는 하지만, 자동차 회사 광고주와 대행사가 원팀이라면 실무자 간에 사전 계약 광고가 나갔을 때 서로 잘 커뮤니케이션 하면서 관리를 해야 한다고 생각합니다. 사전 계약 광고가 집행하게 되면 AE는 광고주 실무에게 첫날, 주간, 종료 시점 크게 3번에 나누어 계약 현황을 확인해야 합니다. 첫날은 CM이 나가곤 난 직후이므로 첫날 반응이 중요하며 주간 및 종료 시점은 종합하여 내부에 현황을 공유해야 합니다. 판매 일보는 사실상 대외비이므로 데이터 보다는 구두로 대략 듣는 것이 좋은 것 같습니다. 사전 계약의 상황이 좋지 않을 경우는 론칭 광고 제작물 시사에도 영향을 끼칠 수가 있습니다. 예를 들어 사전 계약 광고의 반응이 어떠한 부분이 좋지 않아 론칭 광고에는 수정 메시지를 반영할 수도 있고, 자막을 추가하는 경우도 있습니다. 심지어는 좀더 임팩트 있는 컷으로 변경하자는 이야기가 나올 수 있어 사전 계약의 반응을 수시로 모니터하여, 월요일의 경우는 주말 계약이 한꺼번에 나오므로 많아 졌다고 해서 잘 나간다고 쉽게 판단하면 안 됩니다. 또한, 실제 판매에 있어서도 고가 트림이나 자가 운전자의 판매가 실질적인 판매의 질적인 측면을 나타내므로 광고주에게 실제 대수를 듣더라도 자가 운전자나 실 계약에 대한 추가적인 질문을 할 필요도 있습니다.

## 수상의 영광은 모두가 함께 누려야 합니다.

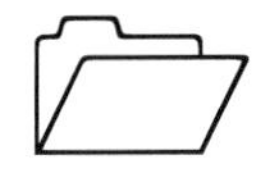

자동차 광고가 광고제에 수상하는 경우가 많습니다. 특히, 해외 광고제의 경우는 지금은 좀 덜하지만, 자동차는 단골 손님이었습니다. 해외 뿐만 아니라, 국내 광고제에서 수상을 하는 경우가 있습니다. 국내이든 해외이든 간에 담당 자동차 광고주가 수상을 하게 되면 사전에 출품때부터 신경을 잘 써야 합니다. 수상하고 알리는 것이 중요한 것이 아니라, 해당 프로젝트에 참여한 사람을 한 명도 빠짐없이 확인하여 리스트를 올려야 합니다. 특히, 제작 스텝은 더 민 감할 수 있으니 잘 챙겨야합니다. 별것 아닌 것 같지만, 디테일 하게 챙기지 못해 오해받고 문제되는 경우가 있기도 합니다.

## 수정 녹음이라고 간단하다고 쉽게 넘어가면 안됩니다.

자동차 광고의 녹음 시 국내 성우도 사용하지만, 외국인 성우도 많이 사용하는 것 같습니다. 어떤 경우는 외국인 목소리로 전체를 녹음하는 경우도 있는 것 같습니다. 그래서, 본 녹음 때 보다 수정 녹음 때는 별 것 아닌 것 같지만, 세심하게 신경 써야 할 부분도 있는 것 같습니다. 예를 들어 수정 녹음 시 제작과 광고주의 분명한 성우 차이가 있어 무조건 제작팀이나 광고주의 의견을 반영하는 것은 무리가 있을 때가 있는 것 같습니다. 세심하게 광고주와 제작팀이 다시 한번 비교할 수 있도록 어렌지 했던 것이 의미가 있는 것 같고, 더구나 성우 대안이 많은 논쟁의 거리가 될 수 있으므로 사전에 대안을 광고주에게 제시하고 결정지어 문제가 없도록 하는 것이 매우 중요한 것 같습니다. 수정 녹음이지만, 광고주가 생각하는 것 이상 생각과 판단한다는 것이 어려운 것 같습니다.

## 수정이 많이 발생했을 경우 CD에게 협의하기 전 전후 상황을 살펴야 합니다.

제작스텝과 업무를 하다보면 사사로운 것으로 시비를 붙고 다투는 경우가 있습니다. 특히 광고주의 잦은 수정으로 기분이 안 좋은 상태에서 광고주가 또 수정을 시킬 경우 그 내용을 가지고 내려가서 '광고주가 이런 이유로 수정해 달라고 하는데요'라고 하면 제작CD의 경우는 크게 화를 내고 말도 안하는 경우도 있습니다. 물론 모든 CD가 그렇다는 것은 아니지만, 혹 분위기도 모르고 내려갔다가 잘 못이야기해서 업무 진행이 어려워지는 경우가 종종 있습니다. 이럴 경우는 커뮤니케이션의 노하우를 잘 익혀야 합니다.

첫 번째, 광고주가 이야기하는 상황이 어느 정도 수준 인지를 파악해야 합니다. 광고주가 수정해 달라고 하는 내용이 반드시 해야 하는 것인지 AE수준에서 정리가 가능한 것인지를 광고주와 협의하여 정리해야 합니다. 무조건 '네'하는 Yes맨도 문제가 있기 때문입니다. 따라서, 광고주와 수정 건의 내용을 협의할 때 받아 드릴 수 있는 수준인지 아닌지를 결정하는 것이 필요합니다.

두 번째, 제작CD의 분위기를 파악해야 한다. 현재 어느 정도로 잦은 수정에 기분이 안 좋은지를 알아야 합니다. 무조건 CD에게 가기 보다는 팀 원들에게 분위기를 살피던가 혹 CD에게 광고주로부터 수정 사항이 있을 것 같다고 하고 정리되면 연락드리겠다고 미리 이야기 해 놓는 것이 필요할 수 있습니다.

마지막으로, CD에게 가더라도 '정말 죄송한 상황인데요'라고 미안한 마음으로 이야기를 시작할 필요가 있습니다. 무조건 수정이 아니라 사전에 이러한 자초지정에 대해 먼저 이야기하고 수정에 대해 이야기를 전개하는 스킬이 필요합니다. 제작CD는 담당AE가 하는 광고주만 제작을 진행하는 것이 아니라, 다른 광고주의 제작물도 진행하는 경우가 많기 때문에 자신의 광고주의 상황만 보고 CD와 여러번 수정되는 것을 이야기하는 것은 금물입니다. 따라서 전후사정을 반드시 확인하여 CD와 협의하는 노하우는 배우는 것이 필요합니다. 일반적인 기획과 제작과의 관계 상에서 있을 수 있으나, 자동차 광고주의 무게감을 고려하면 더 조심스럽고 민감 할 수 있습니다.

## 시안 단계에서는 디테일에 최대한 신경쓰시기 바랍니다.

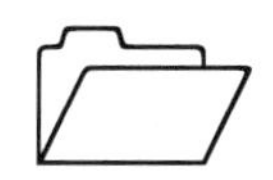

자동차 인쇄 광고 썸네일 단계에서는 헤드라인과 비주얼 아이디어만 보기 때문에 디테일에 그리 신경 쓰지 않아도 되지만, 시안 단계에 서는 여러가지 신경 써야 할 것아 많습니다. 우선, 비주얼에 대한 완성도입니다. 실제 시안 단계에서 썸네일에서 의도하자는 것과 마찬가지로 '구현이 잘 되었느냐' 입니다. 만약 생각보다 구현이 되지 않을 것 같거나 않았다면 다시 아이디어를 발전시키거나 새로 만드는 등 제작팀과 관련 협의를 해야 합니다. 또한 촬영을 해야 하는지 스탁으로 해결할 수 있는지 등 현실적인 부분도 고려해야 합니다. 두번째로, 바디카피와 스펙에 대한 정리 확인입니다. 수상이나 선정 같은 광고는 명확한 고지가 필요한데, 사실 이것이 제대로 드러나는지 확인할 필요가 있습니다. 또한, 스펙은 광고주가 아주 주목해서 보는 부분입니다. 만약 내용이 지나치게 중복되거나 가독성이 떨어진다면 다시 수정해 야 합니다. 사실상 마이너한 것이지만, 임원보고를 들어가는 용도이므로 디테일한 것을 잘 살펴봐야 합니다. 마지막으로 제품 광고일때는 연비 스펙 등을 확인해야 하고 다른 광고와 유사성이 있는지 제작비가 지나치게 비싸다 던지 저작권에 문제가 있는지 등을 함께 확인해야 합니다. 시안을 광고주에게 제시해 두고 변경을 이야기하는 것은 아주 큰 문제를 일으킬 수 있기 때문입니다. 시안을 제시하고 나면 광고주는 보고의 순에 들어가게 됩니다. 보고 후 관련 수정 사항을 유선으로 보통 알려 주는데 광고주에게 JPEG나 보드를 보낼 경우 사전에 JPEG를 출력하여 수정 사항에 대한 의견이 나올 것에 대비해야 합니다. 만약 광고주가 제시 일정을 조정할 경우 집행 일정과 원고 작업 일정을 사전에 확인하여 제작에게 관련 내용을 공유해야 한다. 신문의 경우 작은 것으로 광고주에게 클레임을 받을 수 있다는 사실을 잊지 말고 작은 것 하나도 세심하게 보고 일정관리에 더 신경 써야 합니다.

**실행 가능성에 문제가 생기면 정확한 경위를**
**파악하여 신속히 보고합니다.**

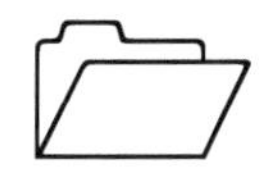

프로젝트를 진행하다 보면 예상치 못한 문제가 발생합니다. 자동차의 경우는 아이디어에 대한 실행 가능성에 있어 문제가 되는 경우가 종종 있습니다. 저는 퍼밋(촬영 허가) 상황에서 좀 많았던 것 같습니다. 결국, 자동차를 가지고 제작을 해야 하는 상황에서는 주행 등의 로케이션이 중요해지는 크리에이티브나 디지털 아이디어 있을 수 있기 때문입니다. 문제는 모든 퍼밋이 잘 되는 것은 아닙니다. 심지어 가능하다고 했다가 안되는 경우가 있습니다. 그래서, 아이디어가 나오고 보고가 올라갈 때는 실행 가능성에 대한 1차적 확인은 필요합니다. 물론 그런 부분을 이야기할 때는 문제가 될 수 있는 예상 상황도 함께 이야기해야 합니다. 그럼에도 불구하고 최종 보고가 끝난 상황에서 퍼밋 불가가 나오는 당혹스러운 상황도 있습니다

## 심의가 끝났다고 안심할 수 없습니다.
## 공정거래 표시광고법을 잘 숙지하고 있어야 합니다.

지금 TV, CATV 광고 심의는 방송협의 산하의 기관에서 심의를 보지만, 과거와는 크게 강도가 강하지 않아 심의가 빠르게 나오는 편입니다. 하지만, 이를 간과하고 잘 못 방송에 나가 공정거래위원회나 소비자 보호원에 제재를 받는 경우가 발생하게 되는 경우가 있습니다. 방송이후 소비자들이 해당 기관에 이의를 제기하게 되어 문제시되는데 심의가 약해졌다고 절대 과장, 거짓, 기만하는 광고를 만들어서는 안됩니다. 그것을 평가하는 잣대는 표시광고법이라는 것인데 광고 업무를 하다 광고주도 모르는 사안이 문제시될 수 있으므로 반드시 표시광고법에 대한 내용은 한번쯤 숙지하고 업무를 진행해야 합니다. 표시광고법은 소비자들이 합리적인 구매를 할 수 있도록 도와주어야 하는 것으로 판매자의 제품 등에 명기하는 표시와 다른 매체에 광고를 하는 광고형태에 규제를 만들어 표시합니다. 표시부분은 사실상 광고주에 해당되는 사항이라 광고부분을 주목해서 보면 됩니다. 전체적인 내용은 공정거래법을 읽어보면 알 수 있으나, 주요 사례를 자세히 살펴보면 이해가 쉬울 수 있다. 특히, 과장, 거짓, 기만에 대한 이슈가 AE들이 잘 봐야할 광고상의 표현인데, 이러한 표현은 경쟁사나 소비자들이 이의를 제기하였을 때 문제가 발생하게 됩니다. 문구나 표현의 과장, 잘 못된 표현, 작은 문구로 인해 소비자들이 알 수 없게 만드는 것에 특히 유의해야 한다. 자동차의 카탈로그 등 홍보물에서도 유의해야 합니다. 사실을 표기함에 있어 문구뿐아니라 그림까지도 사실인지 아닌지를 잘 파악하여 전달해야 하고 소비자들에게 오인지를 막기위해 자막을 작게 넣을 경우 이를 인지하지 못할 상황이 된다면 문구를 넣었다고 공정위에서 양해를 해주는 것이 아니라, 기만이라는 판단으로 과징금이나 경고를 받을 수 있습니다. 이처럼 심의 절차가 쉬워지고 약해졌지만, 공정위상에 표시광고법을 위반할 경우 돌이킬 수 없는 피해가 발생하므로 이에 대한 주의를 늘 하면서 광고물을 제작해야 할 것입니다. 더구나 광고주가 이에 대한 인지가 없을 수도 있으므로 광고주에게도 관련 내용에 대한 설명을 해야 합니다.

**썸네일 방향을 광고주 관점에서 작은 이슈라도 폭넓게 보는 시각을 가져야 합니다.**

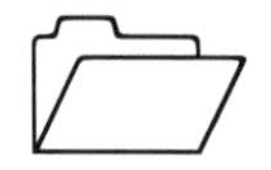

자동차 광고주 어려운 광고 중 하나가 기업PR인 것 같습니다. 상품은 설득적인 논리를 시장이나 상품에 맞추어 준비하면 되지만, 기업PR의 경우는 광고주 내부 사정과 경영진의 숨은 니즈도 잘 알아야 하기 때문입니다. 특히, 자동차 기업PR 신문광고가 더 어려운 경우도 있습니다. 현재의 담당 자동차 광고주 상황, 비전, 현 기업 메시지, 관련 기업 PR 광고가 다뤄야 할 핵심 쟁점까지 정말 많은 것을 고려해서 헤드라인 뽑아내야 하는 것 같습니다. 만약, 이 상황에서 수상까지 했다고 하면 더 복잡해질 수 있습니다. 수상 사실 자체가 중요한 것을 넘어 그것이 갖는 의미까지 재해석해야 할 수도 있습니다. 기업PR 인쇄 썸네일 시에는 좀더 넓고 깊게 생각해야 하지 않을까 합니다.

**아무리 좋은 브랜드와 제품이라도**
**상황은 쉬운 것이 없습니다.**

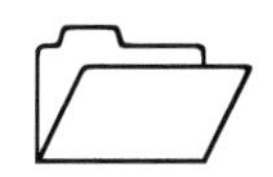

자동차 광고를 하다 보면 포트폴리오상에 판매가 좋은 차, 나쁜 자동차가 있습니다. 또한, 브랜드 이미지가 좋은 차도 있고 별로인 차도 있습니다. 어떤 자동차 브랜드 간에 브랜드가 좋다고 해서 광고하기가 쉬운 것은 없다고 생각합니다. 잠깐 좋을 수 있지만, 항상 경쟁과 도전에 직면하기 때문입니다. 판매나 브랜드력이 좋지 않은 차가 오히려 해야 할 이야기가 많을 수 있습니다. 어떤 차는 세그먼트 특성상 수입차로의 이탈이 많은 상황에서 어떻게 캠페인으로 방어할지가 매우 어려운 상황일 수도 있습니다. 분명 론칭 당시와는 경쟁의 구도도 달라졌으며, 그 사이 경쟁자들은 더욱 단단해진 상황에서 우리의 변화가 약한 상황을 어떻게 극복해야 할지 고민이 항상 들기 마련입니다.

## 아이데이션 시 기획은 주도권을 놓지 말아야 합니다.

자동차 기획이라면 광고주로부터 광고 외에도 다양한 과제와 미션을 받지 않을까 합니다. 이땐, 특히 아이데이션 시 기획이 주도권을 가지고 회의를 잘 진행해야 합니다. 어떤 경우는 심지어 세일즈 관련된 아이디어까지도 받을 수 있습니다. 일반 제품이 아니기 때문에 매우 어려운 과제가 될 수 있습니다. 과거 자동차의 내수 시장 침체로 돌파를 위한 마케팅 프로그램 제시가 숙제로 떨어진 적이 있었습니다. 일반적인 광고형태가 아닌 IMC캠페인이나 프로모션 성격의 아이디어를 제시하는 것이고 세일즈와 연관된 프로그램이어야 했습니다. 1차 아이디어 회의를 진행했는데, 전체적인 방향성에서 대해서 '시장을 어떻게 바라볼 것인 것', '과제를 무엇으로 정할 것인가' 최대의 관건으로 정리했습니다. 물론 빅 아이디어에서 거꾸로 나오기도 하지만, 중요한 것은 숙제를 이해하는 것이 매우 중요한 부분이었습니다. 단순하게 수입차 만을 겨냥하여 젊은 타깃을 흡수하는 것이 마케팅 효율성이 있는가 기존의 고객을 지키는 것이 보다 효과적 인지는 비교해 봐야 하는 것이라 초기에 시장 이해가 급선무였습니다. 우선 1차 방향성 회의를 하고 다시 아이디어의 구체적인 방향을 진행하기로 정했습니다. IMC 회의에서도 AE의 역할은 주도권을 잃지 않으려고 노력했습니다. 왜냐하면 일반적인 광고의 경우는 서로의 일들과 협의에 내용을 파악하기 쉽지만 IMC는 문제점을 보다 정교하게 파악하고 이후 빅 아이디어를 추출하는 과정이므로 산으로 가지 않도록 AE가 어떤 부분에서 끊을 것인 것 보완할 것인지를 판단해야 하기 때문이었습니다. 더구나 각 스텝별로 롤들을 잘 나누어 진행시켜야 하므로 랩업 과정에서 실수는 다른 이야기를 도출하게 되는 문제가 없도록 하고자 하였습니다.

## 아이디어가 팔리지 않을 경우 기존의 아이디어를 다사 한번 점검합니다.

풀리지 않은 숙제는 기본, 처음부터 다시 보라는 이야기가 있습니다. 기획에서는 기존 제안된 아이디어를 한장에 정리하여 들어갔던 아이디어를 종합하기도 합니다. 과연 어떠한 아이디어가 올라갔고 팔리지 않았는지 근본적인 분석을 다시합니다. 잘 보다 보면 어떤 경우는 다행히 올라가는 아이디어를 공통적으로 분석하면 아이디어의 프레임, 메시지의 방향성, 확장성에서 공통 분모를 찾을 수 있습니다. 따라서 이를 기반으로 실무와 다음에 아이디어를 제시할 때의 기본 방향성을 1차적으로 합의하고 아이디어를 다시 낼 수도 있습니다. 아이디어가 자꾸 드롭되는 상황이기 때문에 스텝을 인발브 시키거나 제작팀과 제작안을 개발할 때 이러한 부분을 명확히 하는 것이 나을 수도 있습니다.

## 아티스트나 이종 카테고리 협업 시 명확한 업무 규정을 AE가 주도해야 합니다.

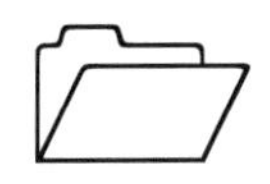

TV광고외 IMC나 디지털 컨텐츠가 보편화되면서 이종 카테고리와의 협업을 효과적으로 운영하고 매니징하는 것이 AE에게 필요한 스킬이라고 생각합니다. TV광고는 일반 프로세스이다 보니 어려운 점이 없지만, 컨텐츠나 IMC는 경험해보지 못한 분야이기 때문에 협업 시 서로 간의 이해의 폭을 좁히고 어떻게 일을 진행할지에 대하여 AE가 중심에 잘 정리해 주어야 합니다. 결국 광고주 입장에서는 광고 커뮤니케이션적인 결과물을 얻어 내기 때문에 어떤 분야와의 협업이라도 해당 분야를 광고 프로세스상에 녹여 이해할 수 있도록 정리를 해주어야 합니다. 우선 어떤 분야이든 간에 메시지에 대한 명확한 공유가 중요 합니다. 어차피 예술이나 스포츠 등 다른 분야일지라도 클라이언트의 브랜드나 제품을 커뮤니케이션하고 스토리텔링을 하는 것이니 고객들에게 전달하고자 하는 메시지는 분명해야 하기 때문입니다. 따라서, 콘셉트나 메시지 그리고 꼭 활용해야 하는 것에 대해 첫번 째로 정리되어 공유되어야 합니다. 두번째는 콜라보 하고자 하는 분야의 플랫폼이나 툴에 대한 명확화입니다. 분명 비용을 지불하고 시너지 를 내기위한 것이므로 콜라보하고자 하는 것의 어떤 부분을 활용하고자 하는지를 정확하게 짚어주는 것이 필요합니다. 세번째가 제일 중요합니다. 커뮤니케이션적으로 어떤 효과를 낼 것인지, 크리에이티브적으로 어떤 'WOWness'가 있어야 할 것인지를 예상해서 결과물에 대한 방향성을 정리하는 것입니다. 자칫 멋진 작품에만 머무르지 않도록 영상화할때의 가이드를 작품에서도 놓치지 말 것을 가이드로 하여 분명하게 전달하고자 해야 합니다. 네번째로 활용 업무범위에 대한 것입니다. 이 부분은 콜라보하고자 하는 것의 계약과도 관련이 있는 것입니다. 더구나 이 부분은 광고주와의 사전 협의가 중요합니다. 캠페인 설계상 어디까지 사용할 것인지를 비용과 시뮬레이션하여 가이드라인을 기술해야 합니다. 마지막으로 스케줄과 비용에 대한 가이드라인입니다. 이외에도 여러 가지 가이드가 있을 수 있지만, 프로젝트를 진행하는 타 분야의 전문가들에게는 주어진 기간과 비용 하에서 운영 하기 때문에 이 부분에 대한 정교한 가이드라인 기술이 필요하다. 콜라보의 가장 큰 어려움은 앞서 이야기한데로 해보지 못한 분야라는 두려움입니다. 그러나, 6하원칙, 소설에도 기승전결이 있듯이 애매한 분야라도 무엇을 할 것인지, 언제, 어떻게, 얼마에 할 것인 지라는 기본개념은 동일합니다. 유선이나 협의만으로는 명확한 전달이 어려우니 확실한 페이퍼 기준을 만들어 확인하고 서로 간에 오해가 없이 프로젝트를 진행하는 것이 작지만, 원활한 이종간 협업이 중요한 노하우일 것입니다.

## 완벽한 시사를 위해서
## 우리는 시간과 싸워야 합니다.

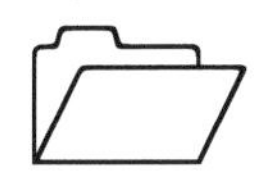

어떤 차의 프리론칭이 온 에어 한지 일주일이 넘는 시점이었습니다. 전체적인 사전 계약 분위기는 경쟁자 초기 반응보다 좋아 광고주 내부적으로도 상당히 고무되어 있는 상태였습니다. 사실 다른 차종으로 분위기가 안 좋았는데, 론칭 TVC 시사에서도 좋은 영향이 있을 것 같았습니다. 그러나, 전날 편집 결과 론칭 3편 중 한 편의 퀄리티가 워낙 좋지 않아 시사를 미루는 등 우려를 많이 했었습니다. 다른 편은 완성도가 좋았지만, 전체적으로 가져가려 했던 리깅 샷과 자막이 나머지 두 편에는 들어가지 못해 아쉬웠습니다. CD와 3편에 대해서 가장 잘 되어 있는 편을 메인으로 시사를 하기로 하였고 다른 편은 공정율이 다른 두편에 비하여 덜 되어 있다고 의견을 주었습니다. 3편의 15초 중심 시사를 했는데, 역시 기존 한 편의 반응이 아주 좋았습니다. 그러나, 작업을 해야 하는 편은 우리가 우려한데로 광고주도 너무 샷을 빼서 그런지 싸구려 같은 느낌이 강하게 들었던 것 같았습니다. 하지만, 전체적으로 조금 수정하면 좋은 퀄리티가 나올 것 같아 시사 분위기는 좋았습니다. 시사 후 돌아와서 관련 수정내용과 AE들이 한 컷씩 보면서 수정 사항을 논의했습니다. 오전에 다녀오고 나서 작업 시간을 최대한 확보해 주려고 점심이후 바로 수정 협의를 진행했습니다. 다음 날 광고주 시사가 있었기 때문이었습니다. 사전에 CD가 해외에 나가 있어 전체적인 론칭 광고의 퀄리티가 콘트롤 되지 않았던 것은 큰 문제였습니다. 더구나 PD도 다른 건으로 함께 나가 있어 감독이 협의할 사람이 없었던 상황이었습니다. 이처럼 해당 프로젝트에 깊이 인발브 할 수 없다는 그것 또한 좋은 결과물을 얻어 낼 수 없습니다. 첫 단추를 잘못 끼우는 것이 좋지 않은 결과를 만들 듯 당초 퀄리티를 조절할 수 없는 스텝이나 일정이 있었다면 사전에 AE들이 조정할 필요가 있었던 것 같았습니다. 이후 시사가 잘 마무리되어 다행이지만, 만약 문제 발생이 아주 작은것 까지도 문제화될 수 있었습니다. 더구나 CG가 많이 들어가는 TVC의 경우는 그 일정 자체를 충분히 고려하고 사전에 준비를 해야 합니다. 그렇다고 마냥 두는 것이 아니라, 예상되는 퀄리티를 사전에 조율하고 기대하는 퀄리티를 뽑아 내어야 합니다.

## 완성도 높은 제작물 실제 상황으로 테스트해야 합니다.

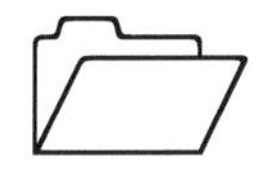

해외와 국내로 나뉘어 촬영되었던 OO프로젝트의 실제 시사 상황을 보면서 완성도 높은 제작물 시사가 얼마만큼 중요한지 공유해 보고자 합니다. LA촬영과 국내 촬영이 진행되었던 프리 론칭 시사가 어느 날 오후에 진행되기로 하였었습니다. 전날 녹음실에서 광고주 실무자와 시사 버전에 대해 1차적으로 정리하고 후반 마무리를 하여 익일 오전 일찍 광고주에게 제시하여 최종 시사 버전을 정리해야 했습니다. 점심 이후에 바로 시사를 해야 하는 상황이므로 최대한 빨리 오전에 시사 관련 업무를 정리해야 했습니다.

Step_1 전체 시사 버전이 편집이 다른 두가지 버전과 BGM이 다른 각 라인 별 3가지, 카피 버전까지 하여 총 6개정도의 시사 버전이 있었습니다. 통상적인 광고주 시사 버전 치고는 많은 것이기 때문에 정리하는 것이 필요 했었습니다. 더구나 성우에 대한 호불호가 있어서 제작팀에서 제시하는 성우와 광고주 쪽에서 제시하는 성우가 있었습니다. 오전에 출근하자마자 PD쪽과 커뮤니케이션하여 CD와 정리된 최종 파일을 확인하고 해당 파일의 시사표를 만들어 함께 광고주에게 파일로 우선 전송하였습니다.

Step_2 광고주는 6가지 버전의 파일을 확인한 후 A라인을 배제하고 시사하기로 결정했습니다. 사실상 차가 보완 해제된 상황에서 A라인은 풍경 위주로 되어 있기 때문에 의미가 없는 것이었고, 더구나 원안의 카피와 구조가 날라가면서 크리에이티브의 힘이 약해져 B안에 비해 매력이 떨어진다는 의견이 있었습니다. 기획 입장에서나 제작팀 도 사실 A라인 콘티에 충실한 편집이나 메시지가 달라져 굳이 시사할 필요가 없다는 판단이 들었는데 오히려 정리가 잘 되었습니다.
Step_3, 정리된 B라인을 A라인으로 올리고 A라이은 시사 시 '원안 콘티는 없나'라는 의견이 나오면 시사하는 것으로 하였습니다. 시사가 점심이후에 바로 있어 기획팀은 TV를 회의실에 세팅하여 영상 테스트를 하고 갔습니다.
Step_4 시사장비를 챙기러 도착하여 회의실에 TV를 세팅하고 영상을 플레이 하였다. 그런데, HDMI케이블이 노트북과 TV와 호환이 되질 않아 스피커를 가지고 갔는데 스피커 음질이 아주 좋지를 않았습니다. 광고주 오기 전 TV영상만 확인하고 스피커 볼륨을 높여 시사 버전으로 확인하지 않은 것이 잘 못된 것이었습니다. 광고주 내부에 있는 다른 스피커로 테스트를 해보았지만 같은 상황이었습니다. 실무끼리 분위기가 자칫 좋지 않았습니다. 이미 시사가 시작되었고 3가지 버전을 바로 시사 진행하였습니다. 다행히 두번째 안을 만장일치로 결정하여 시사는 잘 끝났습니다. 천만다행이었습니다. 오디오 상태가 잡음이 많고 볼륨을 높였을 경우 지저분한 음이 들려 BGM과 성우가 풍부하게 들리지 않기 때문에 녹음에 대한 문제를 삼는다면 시사 후 큰 문제가 있었을 것입니다. 시사 시에는 촬영부터 후반까지 고생했던 것들 것 종지부를 찍는 것이라고 할 수 있습니다. 그래서 시사 시에 완성도 높은 퀄리티와 감동을 줄 수 있어야 하는데 자칫 장비나 진행의 문제로 시사의 퀄리티를 떨어뜨리고 결과물의 감동을 제대로 전달하지 못한다면 그간의 과정이 무의미하게 됩니다. 따라서, 시사 전 실제와 동일하게 테스트 한후 진행해야 함을 절대 잊지 말아야 합니다. 대부분의 시사가 시간과의 싸움입니다. 여유로운 프로젝트는 그리 많지 않았고, 여유롭게 진행되더다로 예상치 못한 상황으로 급해지는 경우도 많았습니다. 결국, 전체 프로세스를 잘 이해하고 있고 변화되는 상황에 동시 다발적으로 잘 능숙하게 대응하는 것이 관건입니다.

## 워크샵에선 말을 아껴야 합니다.

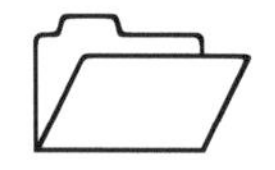

자동차 프로젝트에서 조사 클리닉은 초기에 매우 큰 비중을 차지 합니다. 광고주와 함께 광고 회사도 해당 과정에 참여하기도 합니다. 마지막 단계에 들어서면 워크샵 등을 하게 되고 거기서는 가급적 잘 듣고 인사이트를 얻는 것이 더 중요하다고 생각합니다. 회사마다 차이는 있으나 통상, 차에 있어서는 프로덕트 클리닉, 론칭 클리닉의 크게 두 가지 단계의 대규모 소비자 조사를 진행하게 됩니다. 또한 론칭 클리닉 단계에서는 FGD와 전문가 인터뷰, 크리에이티브 워크샵이 진행되는데, 론칭 클리닉의 최종적인 단계는 워크샵 단계라고 할 수 있습니다. 워크샵이지만 당일로 끝나는 것이고 사무실에서 멀지 않은 조사회사가 추천하는 장소에서 진행하게 됩니다. 크리에이티브 워크샵에서는 조사회사에서 그간 진행된 FGD등 신차에 대한 다양한 조사결과를 종합하여 보고서를 제출하게 되는데, 이때 조사회사가 생각한 시장 전략, 타깃, 전략 등 다양한 것을 논의하고 의견을 개진합니다. 그런데, 문제는 최종 보고서를 제출하는 상황이 되므로 이를 보완하고 수정하기 위해 많은 것은 광고회사나 광고주와 논의하기를 원합니다. 물론 더 이상의 협의없이 진행된다면 조사회사는 빨리 정리가 되어 업무 효율을 가져와 좋을 수 있으나 조사회사가 진행된 내용에 대하여 AE가 내부에서 회의 된 내용을 너무 많이 이야기하게 되면 그것 자체가 추후 전략서를 작업하는데 의미 없을 수 있기 때문에 가급적 내부에서 진행되는 사항에 대한 이야기는 아끼되 분명 문제가 되는 부분은 바로 지적하여 조사회사의 의견을 수정시키는 것은 필요합니다. 광고주 또한 현장에서 자신이 생각하고 있는 내용에 대하여 많은 것을 이야기하지는 않습니다. 다만, 클리닉 보고서 상에 공감이 안되거나 상식적으로 이해가 안되는 부분은 반드시 지적합니다. 쉽게 말해 불필요한 만들로 전략을 노출하는 것은 아니라는 것입니다. 만약, 워크샵을 다녀왔다면 간략하게 다녀온 내용을 정리하여 의견을 공유하는 것이 필요합니다. AE나 AP입장에서는 조사 설계된 상태와 그 데이터 의미하는 것에 중점을 두어 나름대로의 인사이트와 아이디어를 뽑는 것이 더 중요하다고 하겠습니다.

## 원하는 제작물을 팔기 위한 작전이 필요합니다.

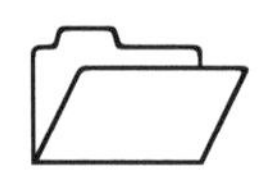

광고주 시사 과정에서 광고주 실무들과 함께 좋다고 하는 시사버전을 잘 보고하기 위해 함께 작전을 짜는 경우가 있습니다. 과거에 한 TVC M에서 내레이션이 관건이었던 적이 있었습니다. 다른 CM과는 다르게 시크한 느낌을 주려고 랩형식으로 읽었던 것이 숨이 너무 가쁘게 들린다는 것이었습니다. 그런데, 이것을 그냥 노멀하게 읽는다면 전체 CM의 맛이 저하될 수밖에 없었던 상황이었습니다. 가장 큰 이슈인 성우 엇박에 대해 기획팀, 광고주 실무자, 제작팀은 어떻게든 관철시킬 수 없겠느냐는 협의에 들어갔는데, 우선 성우를 다시 불러 좀더 또박 또박 읽어 보는 것을 기본으로 했고 아예 그냥 내레이션 하듯이 읽는 것을 만들어 최종 보고 시 이야기가 나오며 대안으로 보여주고 우리의 의견이 적절하다는 것으로 하기로 했습니다. 또한, CM상에서도 돌출도가 있는 것처럼 보이기 위해 그냥 읽는 것과 원안을 다른 CM들 사이에 넣어 타깃 연령이 되는 회사 직원들을 불러 사내 조사를 진행 하기로 했습니다. 다른 그림 차원에 문제는 수정하는데 크게 어려움이 없으나, 전체 CM에 맛을 떨어뜨릴 수 있어 해당 부분을 관철시키는 정교한 작전이 필요했습니다. 광고주가 배석한 자리에서 녹음을 진행하기로 하였고, 최종 시사로 가기로 했습니다. 하지만 끝까지 안심할 수 없었습니다. 왜냐하면 우리가 원하는 CM으로 관철되리라는 보장이 없기 때문입니다. 그렇다고 원하는 데로 다 수정하면 예상했던 효과는 확보하기가 더 어려운 상황이 됩니다. 따라서, AE들은 매 시사 단계별 광고주와 협의하여 정교하게 우리가 원하는 안을 팔 수 있도록 긴밀하게 협의하고 대안을 준비해야 합니다. 그렇다고, 무조건 보고 받는 사람을 관철시키려고 한다면 반감을 살 수 있으므로, 반드시 다시 제시할 때 무작정 우기는 것이 아니라, 유도하는 스킬이 필요합니다. 모든 것들을 다 친절하게 점검했음에도 우리의 안이 가장 적절하다는 판단이 든다면, 결제 받을 때 좀더 수월하게 진행할 수 있습니다. 다시 말하지만, 각 단계별 특히 보고를 올라갈수록 예상치 못한 이슈가 발생하므로 최대한 조리있고 긴밀하게 원안을 팔 수 있도록 노력해야 합니다.

**의상 소품 비용 결재를 위해 AE가 선결제를 지원해야 할 때도 있습니다.**

국내, 자동차 또는 인물 관련 인쇄광고 제작 시 모델 촬영이나 소품 촬영이 발생할 경우 제작에서 기획 쪽으로 관련 비용처리를 위해 카드를 해당 스텝 쪽에 달라고 요청하는 경우가 있습니다. 처음 이러한 상황을 겪다 보면 '왜 법인 카드를 우리가 줘야 하지'라는 반응과 함께 황당한 경우가 발생할 때가 있습니다. 모르는 경우는 기획입장에서 제작에게 그런 비용 하나 처리를 못하냐고 하면서 다툼을 하는 경우도 있는데 전반적인 상황을 이해한다면 어느 정도 지원을 해 줘야 한다는 것에 이해할 수도 있습니다. 통상 TVCM의 경우는 모델 촬영이나 소품 촬영 관련하여서는 비용을 프로덕션에서 선지급을 하는 경우가 많아 기획 쪽으로 관련 청구를 요청하는 경우가 없습니다. 하지만, 인쇄 촬영의 경우 프로덕션과 같은 중간 스텝이 없기 때문에 비용을 광고회사에 요청하는 경우가 있는데, 이는 헤어 스타일리스트나 아트 관련 스텝이 비용이 크게 발생하는 것을 개인이 지급하여 처리하게 되면 제작비 청구가 1~2개월 이후에 이뤄지는 상황에서 해당 비용을 모두 당사자가 떠안아야 하는 상황이 발생하게 됩니다. 대부분 개인 사업자 이기 때문에 많은 비용을 한꺼번에 결제할 수 없는 현실로 인해서 발생하는 것이라 생각하면 될 것입니다. 해당 이슈가 발생하면 정확하게 어떠한 건으로 얼마나 발생하는지를 구체적으로 확인하고 카드를 제공하게 되면, 결재 내역을 달라고 해서 금액이 과다하게 결제되었는지 등을 AE가 확인해야 합니다. 또한, 카드를 분실하지 않도록 사전에 언제 어떻게 받을지에 대해서도 미리 협의하여 분실되지 않도록 주의해야 합니다. 카드 결제에 대한 부분은 무엇보다도 제작 관리에서 알고 있어야 합니다. 무리한 불합리한 결재에 대해서는 제작 관리가 해당 부분을 조절할 수도 있기 때문입니다. 이렇게 결재가 된 후에는 전체 제작비의 처리가 너무 늦어 지게 해서는 안됩니다. 만약 너무 늦어지게 되면, 카드 자체의 사용이 어려워질 수 있기 때문에 가급적 해당 월에 처리하여 광고주로부터 제작비를 지급받아 신속히 처리해야 합니다.

## 이슈 마케팅에서는 금기시되는 부분이 있습니다.

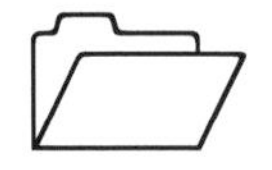

자동차 광고는 스포츠나 다양한 이슈 마케팅을 활용하는 경우가 있습니다. 이럴 경우는 공식 후원사 여부, 가이드 라인, 법적 유의사항을 잘 파악하고 진행해야 합니다. 우선 올림픽을 예를 들어 보겠습니다. 광고주로부터 올림픽 기간 중 광고 활성화 지시가 떨어졌다고 합시다. 후원사 일수도 있고 아닐 수도 있습니다. 공식 후원사일 경우는 가이드라인을 잘 보고 진행하면 되지만, 아닐 경우는 앰부쉬를 하기 때문에 더 조심해야 합니다. 이런 앰부쉬 형태의 광고에 있어서는 몇 가지 금지 사항에 주의하고 최근 변화된 사항에 주목해서 진행해야 합니다.
첫째, 문구 사용에 주의 해야 합니다. 올림픽 공식 후원사가 아닌 경우는 '올림픽'이라는 말 자체를 사용할 수 없습니다. 이러한 말은 대한체육회(KOC)와 국제올림픽위원회(IOC)에 규정에 위반되는 사항이기 때문입니다. 따라서, 해당 워드 자체는 절대로 사용하면 안됩니다. 또한, 국내의 경우 '국가 대표', '한국 선수단' 등 선수단을 의미하는 문구도 사용해서는 안됩니다. 올림픽 하고는 직접적인 연관성은 없지 만, 대한체육회와 특정 대표 선수단 등과 관련이 있어 이에 대한 후원사가 아닌 경우에는 문제의 소지가 있게 됩니다.
둘째, 비주얼에 대한 주의 사항이다. 통상 올림픽 기간 전 9일 폐막 후 3일은 어떠한 선수도 해당 기간에 광고활동을 할 수 없게 되어 있습니다. 그러나, 국내의 경우 대한체육회에 후원금을 일정 이상 지급하게 되면 사용할 수 있는데, 촬영이 아닌 경우 스탁을 사용하더라도 국제 대회 비주얼인 경우 해당 비주얼이 나오는 대회 주관사에 권리를 득해야 하며, 또한 유니폼을 입고 나올 경우 해당 유니폼의 주관사에 사용을 득해야 합니다. 물론 사용 시 비용을 지불해야 하는 경우가 생깁니다. 후원사가 아니더라도 신발이나 옷에 타사의 로고나 브랜드는 지우든가 사용에 대한 승인을 득해야 할 수 있습니다. 예를 들어 유니폼은 만든 것인데 신발이 아디다스나 나이키가 비중 있게 나온다면 사용 여부를 득해 득해야 합니다. 과거 월드컵 시 OOO선수가 만든 유니폼을 입고 나이키 축구화를 신고 아디다스의 축구공을 차는 것에 대하여 두 개의 스포츠 브랜드가 신경전을 벌인 적이 있었습니다. 이처럼 스포츠 마케팅에 있어서는 비주얼을 사용하는 작은 부분 까지도 사전에 알고 진행해야 합니다. 따라서, 비주얼 문제가 발생하지 않도록 아예 스탁을 구매해서 진행하는 경우가 많습니다. 그럴 경우 크게 문제가 되지 않기 때문이다. 월드컵, 아시안게임, 올림픽 등 수많 은 스포츠 이벤트에 광고주들은 관심을 나타냅니다. 가장 중요한 것은 사전에 가능성 여부를 타진하고 문제시되는 부분을 선행적으로 확인 하여 정교하게 진행하는 것이 매우 중요하다고 할 수 있습니다.

**인쇄광고를 만들 때 차량 비주얼 반전으로**
**빠지는 요소가 없거나 잘 못들어가지 않도록 챙겨야합니다.**

자동차 인쇄 광고 제작 시에는 유의해서 보아야 할 부분이 있습니다. 예를 들어 주유구, 와이퍼, 타이어, 휠 등 차의 전체적인 측면을 보다가 자칫 작은 요소를 놓쳐서 문제가 되는 경우가 있습니다. 자동차 제품 이미지를 반전하여 사용할 경우는 자동차의 주유구나 와이퍼가 잘 못 위치되지 않도록 잘 보아야 합니다. 디자이너나 외주 작업처가 이를 알지 못하고 할 경우 발생할 수도 있으므로, 기획에서는 인쇄 시안이나 원고작업, 교정지 단계에서 꼼꼼하게 확인해야 합니다.

*해외 수출되는 자동차를 국내에 적용해야 하는 상황이 되면 해당 국가의 운전석, 라이트, 와이퍼, 주유구 등 기본 제반 스펙은 사전에 확인해 두는 것이 좋습니다. 또한, 국가별로 운전석과 기능들이 다르므로 해당 내용도 미리 알아 두면 좋습니다.

## 인쇄광고 수정에 대비하여
## 미리 JPEG 파일을 확보해야 합니다.

자동차 광고에서 레거시 미디어인 신문광고도 여전히 중요한 미디어입니다. 아무래도 언론사와의 관계를 고려하여 자동차 홍보가 중요하기 때문에 그렇지 않을까 생각합니다. 인쇄광고 시안, 원고 작업, 출고 전 , 출고 이후 라도 번거롭지만, 해당 시점마다 JPEG를 확보해놓는 것이 업무에 도움이 됩니다. 해당 시점마다 광고주나 내부의 수정 사항이 수시로 나올 수 있기 때문입니다. 그림, 문구, 로고 위치, 자동차 CG 수정 등 보는 사람도 많고 생각도 다르기 때문에 만들어 두어야 합니다. 기존 버전을 가지고 있다면, 업데이트 버전이 다를 수 있으므로 항상 업데이트 버전을 가지고 있는 것이 필요합니다. 때에 따라서는 폴더별로 구분하여 기존 파일도 가지고 있는 것이 필요할 때도 있습니다. 하다 보면 다시 원래 버전으로 돌아가는 경우도 있기 때문입니다.

## 인쇄광고 카피 협의시 타이밍을 놓치지 말고 신속하지만 정확하게 조율하세요.

자동차 인쇄광고에서 많은 아이디어가 들어 가기에는 한계가 있는 것도 사실입니다. 대부분 메인 비주얼로 자동차가 보여지기 때문입니다. 배경이나 모델 등 일부 요소들이 들어 가기는 하지만, 자동차 비주얼 때문에 한계가 있습니다. 그러다 보니 인쇄광고에서 자동차 비주얼을 제외하고는 카피가 매우 중요해지는 경우가 많습니다. 따라서, AE들은 해당 자동차 인쇄광고가 핵심적으로 이야기하고 싶은 것을 사전에 감을 잘 잡아 브리프로 만들어 제작과 협의하고 정리하는 것이 중요하다고 생각합니다. 만약에 할 수 있다면 광고주와 사전에 협의할 수 있다면 추후 오차를 최대한 줄여 효과적으로 진행할 수 있습니다. 예를들어 수상광고나 인증 광고는 카피의 해석이나 인사이트를 고려할 필 요없이 바로 해당 수상, 인증을 이야기해야 할 수도 있습니다. 광고적인 해석은 결국, 대안 정도가 될 수도 있기 때문입니다. 사전에 오티를 받을 때부터 어떤 광고, 메시지가 필요한지 사전에 협의하고 진행한다면 불필요한 반복없이 보다 쉽게 안을 정리할 수도 있을 것입니다.

**인쇄 출고 빠른 판단과 멀리보는 예측으로**
**원고의 불확실성을 최소화시켜야 합니다.**

일반적인 인쇄광고의 집행이라면 크게 문제가 되지는 않습니다. 그런데, 론칭, 이벤트 프로모션, 수상 등 이슈성 인쇄광고는 변수가 많아 빠른 판단과 사전에 가급적 다양한 요소를 고려해야 할 수도 있습니다. 급한 인쇄광고 이슈가 발생했을 때 해당 자동차 기존 소재나 차의 CG상태를 미리 확인해야 할 수도 있고, 이슈 일정을 고려하 매체 일정, 이벤트 스펙이나, 연비 관련 정보 등 동시 다발적으로 예측하고 확인해야 할 수도 있습니다. 물론 내부적으로 어떤 팀에서 제작을 하고 외주처와 협의할 지도 논의해야 합니다. 만약에 유사건이 발생하면 아마 동시 다발적으로 생각하고 해결해야 할 수 있어야 합니다. 또한, 진행을 하였는데, 다시 일정이 변경될 수도 있습니다. 연말이나 연초, 휴일 등 이슈가 있을 때는 관련 업무 일정도 고려하여 광고주와 협의하여 스텝과 업무 진행을 해야 합니다. 어떤 경우는 이슈 발생 시 기획 입장에서 기존 히스토리까지 고려하여 아예 안을 구상하고 바로 진행하는 경우도 있습니다. 그럴 경우는 내부 히스토리나 자동차 제작 작업 상태를 이미 알고 있어야 합니다.

## 자동차 3D 데이터 시간을 넘기지 말고 전달해야 합니다.

자동차 광고 3D 데이터 건으로 있었던 일입니다. 어느 날 아는 다른 팀에 아는 후배가 다급한 목소리로 전화가 왔었습니다. 선배님 OOO 해외 광고 촬영하는데, 인터넷 사이트 보니까 국내 OOO 3D 데이터로 한 것이 있던데, 데이터 혹시 받을 수 없을까요' 라고 이야기하는 것이었습니다. 관련 데이터는 제공할 수 있지만, 아마 쉽게 제공되지 않을 것이었습니다. 왜냐하면, 해당 업체에서 고생해서 만든 데이터 이기 때문일 것입니다. 우선 후반 작업 시간을 확인해 보라고 했습니다. 만약 후반 작업 시간이 어느 정도 있고 온 에어까지 시간이 된다면 가장 빠른 것은 스틸 카메라로 스튜디오 가서 차 주변을 돌아 찍어가며 그 찍은 것을 기반으로 3D 업체에서 모데링이 가능하기 때문입니다. 하지만, 이 또한 시간이 걸리는 것이기 때문에 어느 정도 작업의 시간적 여유가 필요합니다. 또 하나는 해당 차의 3D 데이터를 가진 업체와 실제 후반 작업을 진행하는 것입니다. 하지만, 데이터 확장자와 실제 사용하려는 데이터의 상태가 원하는 수준으로 나와 있어야 하는 확인과정이 필수적으로 필요했습니다. 물론 비용은 두가지 다 드는 부분이지만, 시간적으로 절약할 수 있는 것은 후반 해당 업체로부터 데이터를 받는 것이었습니다. 통상 자동차의 3D 데이터는 보안 사항입니다. 광고주가 CAD 데이터를 제공하기도 하지만, 이는 실제 차의 데이터이기 때문에 제공하기 어려운 파일입니다. 따라서, 시안 컨펌이 끝나고 트리트먼트 들어가기전 3D 진행이 불가피 할 것 같으면 AE는 광고주로부터 해당 데이터를 받을 수 있는지 확인하고 데이터를 바로 PD를 통해 후반 업체에 확인시키는 것이 필요합니다. 후반 업체의 확인을 하지 않고 잊어버리고, 있다가는 촬영다녀와서 잘 되있 겠지 하고 데이터를 열였다가 확장자나 파일상태가 적합하지 않아 혼란을 겪는 경우가 종종있습니다. 따라서, 데이터를 광고주로부터 받는 순간 바로 확인작업에 들어가야 합니다. 하지만, 최근 보안 사항으로 분류되면서 3D 데이터를 받지 못하는 경우가 많습니다. 따라서, 못 받을 것 같으면 바로 PD를 통해 소스촬영 요청을 하고 데이터를 만들도록 부탁을 해야 합니다. 시간이 많을 때는 순차적으로 할 수 있지만, 대부분 일이 급박하게 돌아가는 만큼 반드시 사전에 확인하여 시간을 놓이는 일이 없도록 해야 합니다. 더구나 론칭하는 차의 경우는 해당 업체에 보안 서약서를 받아 작업을 진행시켜야 합니다. 문제가 생겼을 경우 돌이킬 수 없는 상황이 벌어지기 때문입니다. 3D 데이터 별것 아닌 것 같지만, 실제 경험하지 못한다면 그 다급함과 비용 부담은 이루 말할 수가 없을 것입니다.

## 자동차 판매 마감 자료는 매월1일 바로 챙겨서 공유합니다.

일반적으로 광고주의 브랜드나 제품은 월 마감을 합니다. 자동차도 매월 마감을 하며, 관련 자료가 협회 사이트 등에 시간이 지나서 공지가 됩니다. 자동차 담당 기획들은 기회가 되면 사이트에서 마감 자료를 확인하거나 담당 광고주의 판매 현황을 매월 확인하는 노력도 필요합니다. 마감 자료는 영업일수 기준으로 출고와 계약을 전월, 전년, 동기 등을 비교하여 테이블화 시킨 자료입니다. 전체적인 한국시장의 신차 판매 동향을 한눈에 알 수 있는 자료입니다. 마감 자료는 만약 공유가 된다면, 매월 초 시작하자 마자 실무AE가 챙겨서 팀내 공유를 해야 합니다. 그리고, 종합 데이터에 해당자료를 입력하여 그래프화 시키면 나중에 팩트 북이나 기획서 만들 때 힘들지 않게 가공할 수 있으므로 그때 그때 업데이트를 해 놓는 것이 좋습니다. 출고 기준으로 되어 있는데, 실제 결재가 되어 인도된 것을 기준으로 해야 정확 한 판매와 MS를 알 수 있습니다. 계약 기준은 판매 분위기를 보는 정도이며, 데이터가 너무 변동이 심하면 노조 파업인지, 품질 문제인지 이슈를 사전에 파악하여 공유하고 있어야 합니다. 숫자가 무조건 빠진다고 문제가 있는 것은 아닐 수 있기 때문이다. 예를 들어 파업으로 완성차 출고가 늦어진 것을 MS가 빠지고 브랜드가 취약해졌다고 이야기하는 것은 큰 오산이기 때문이다. 전월과 전년을 함께 비교함으로써 전체적인 브랜드나 제품의 향방을 가늠할 수 있습니다. 그리고 특정 차종의 변화도 주목해서 볼 필요가 있습니다. 계약은 낮은데 출고는 많은 것도 의미 있는 것이다. 제고나 할인이 많아 그럴 수도 있기 때문입니다. 판촉의 변화, 생산의 문제등도 대수 변화를 일으키는 원인이므로 함부로 광고나 커뮤니케이션의 변화를 쉽게 논하는 것은 금물입니다.

## 자료 수집은 일이 아니라
## 공부라고 생각해야 합니다.

여러분이 담당하는 차종 계획은 미리 사전에 공유가 될 때가 많습니다. 따라서, 미리미리 사전에 준비하는 센스는 필요합니다. 예를 들어 내년 초를 목표로 준비를 진행 중에 있는 차종이 있다면, 현재 시점에서는 론칭 클리닉이 완료되었고, 곧 전략 방향에 대한 광고주 협의가 시작되기 직전이라고 가정해 보겠습니다. 이럴 경우 보통 AE와 AP는 내부 아이데이션에 들어가 있는 상태에서 AE들은 팩트 북 정리에 들어가야 합니다. 팩트 북상에서도 특히 광고물에 대한 정리를 중요하 게 됩니다. 더욱이 광고가 많이 없고, 차종이 인기가 없는 세그먼트일 경우 과거에 비하여 현저하게 관심이 떨어져 있는 시장이라 자료가 많지 않은 상황이었기 때문에 최신의 트랜드나 과거의 히스토리를 이해하는 데는 광고물이 매우 중요해질 수 있습니다. 통상 어떤 프로 젝트던 간에 광고물 정리는 매우 중요한 것이라고 보면 됩니다. 광고 물 정리에 기본은 어떤 형태로 어떤 시점으로 자료를 찾을 것인가를 먼저 구상하고 해야 합니다. 그냥 무턱대고 검색 프로그램에서 모든 걸 하여 정리한다는 것은 무모한 발상입니다. 따라서, 어떤 경쟁이 있고 대략 이런 시점부터 시작되었다는 것이 있다면 그것에 맞추어 검색하여 자료를 찾는 것이 중요합니다. 담당하시는 차종도 경쟁 브랜드가 무엇인지 언제부터 광고를 시작했는지를 확인하고 어떤 브랜드까지 경쟁인가를 미리 확인하여 무모한 검색이 되지 않도록 사전에 이러한 고민을 해야 합니다. 그리고, 검색을 하여 나온 결과물은 브랜드별, 연도별로 폴더에 구분하여 스틸 컷과 동영상을 모아 두는 것이 중요합니다. 누군가 정리를 잘 하면 일의 50%는 해결한 것이라고 했습니다. 폴더에 해당 파일을 잘 정리하면 추후 페이퍼 작업 시 일의 효율성을 높일 수 있습니다. 또한, 향후에 지속적으로 업데이트하여 DB로 활용할 수도 있기 때문에 처음에 데이터를 받을 경우에도 이 같은 부분을 고려해야 합니다. 마지막으로 파일을 하나하나 보면서 어떠한 이야기를 하는 확인하고 그것을 그룹화해서 해당 카테고리의 경쟁군에 메시지 방향성을 축약하는 시사점 정리가 중요합니다. 단순하게 광고물을 시계열별로만 나열하는 것은 의미가 없습니다. 해당 브랜드나 제품이 어떠한 이슈를 거쳐 어떤 이야기를 하였고 그것이 가지는 의미를 해석해 낼 수 있어야 합니다. 그래야 중복되는 메시지 없이 차별화되고 브랜드나 제품에 어울리는 이야기를 뽑아낼 수 있습니다. 이러한 광고물의 정리는 아이데이션의 기본 소스로도 의미 있게 사용될 수 있습니다. 광고물을 보면서 이러한 메시지는 적용할 수 있겠다고 판단이 든다면 레퍼런스나 접근방식으로 가공하여 우리만의 이야기로 제시할 수도 있습니다. 이렇듯 광고물 하나를 정리하는데도 일이라 생각하지 말고 공부라 생각하면 더 좋을 것 같습니다.

## 자막 작업은 제작스텝이 이해할 수 있을 만큼 구체적으로 가이드를 넘겨야 합니다.

자동차 ATL TV 광고에서 자막 광고 처리는 자주 있는 경우는 아니지만, 이슈가 있을 때는 효과적으로 활용할 수도 있습니다. 다만, 급하게 진행되더라도 기획에서는 자막이라도 스텝들을 위해 디테일 하게 내용과 진행을 챙겨주어야 합니다. 예를 하나 들어 설명해 보겠 습니다. 어느 날 광고주로부터 스포츠 이슈관련 광고 활성화에 대한 요청이 긴급으로 내려왔습니다. 광고주는 최고 경영층에서 내려오는 지시 사항으로 보고 일정과 실행 일정이 매우 빠듯했습니다. 따라서, 관련 사항을 요청받고 관련 스텝이 신속하게 움직여야 했습니다. 광고주와 광고 회사는 여러 가지 방안을 검토하기 시작했습니다. 첫 번째로, 현재 운영하고 있는 메인 소재에 관련 버전 광고를 변형하여 운영하는 것과 두 번째는 다른 상품과 기업PR 소재에 자막을 넣는 것이었습니다. 최고 경영층 지시로 1~2일 내에 작업과 심의 및 온 에어를 마무리해야 하는 상황이다면 가장 빠르게 할 수 있는 것을 진행해야 하는 상황으로 예상되어 두 번째 자막 형태로 대응하기로 하였고, 해당 지시를 받자 마자 제작팀에서 해당 스포츠 이벤트 후원 사는 아니지만, 해당 스포츠 기간 중, 기간 후로 나누어 자막 카피 아이디어를 요청 및 준비하였습니다. 자막 카피를 제작에서 받고 바로 기획팀 내부 정리에 들어갔습니다. 각 단계별로 카피를 정리하고 광고 주에게 제시하여 스포츠 이벤트 기간 중 두 개 카피와 폐막 후 카피 하나를 컨펌 받았습니다. 문제는 자막 작업을 해줄 프로덕션과 포스트 편집실을 어렌지하여 해당 작업을 자정이 넘기 전 심의를 넣기 위해 작업 요청을 해야 했습니다. 최근 편집실들이 무리한 작업을 하지 않는 경향이 있어 CD와 프로덕션에 최고 경영층 지시 사항이므로 반드시 맞춰야 한다고 부탁을 하였습니다. 저녁 OO시이후 해당 작업 물이 와서 광고주 시시가 가능하도록 파일을 보내고 심의 접수를 진행하였습니다. 하지만, 오전까지 광고주 카피 컨펌이 나지 않아 온 에어에 차질을 빚을 수 있는 상황이 되었으나, 매체와 사전 협의하여 관련 소재를 받아 매체팀에 넘겨 익일 온 에어 하는 일정으로 업무를 진행했습니다. 자막의 카피는 결정이 났었지만, 자막 카피의 스타일과 모 양, 서체, 롤링 타임, 시작 위치를 명확하게 알려주어 시사에는 큰 문 제가 없었습니다. 만약 주목성이나 가독성이 떨어지게 작업이 되어있었다면, 온 에어 일정이나 시사에서 큰 문제가 있었을 것이다. 자막 작업을 쉽게 생각할 수도 있지만, 실제 온 에어의 느낌을 무시하고 그냥 예쁘게만 한다면 나중에 온 에어 시 큰 문제가 될 것 같았습니다. 실제 TV광고는 주목해서 보지 않는 경우가 많기 때문에 중요도가 높을 경우는 자막의 가독성과 주목성을 높이기 위해 초수, 서체, 사이즈, 위치 등을 아주 구체적으로 프로덕션이나 제작쪽에 전달했습니다. 또한, 의사 결정해야 할 사항이 많을 것 같아 편집실에 나가 보면서 결정을 했습니다.

## 작은 것이라도 유사성 논란에 휘말리지 않도록 확인합니다.

자동차 광고는 아주 작은 것이라도 다른 브랜드, 광고와의 유사성 논란에 휘말리지 않도록 유의해야 하며, 만약, 예상하지 못한 일이 발생할 경우는 신속하고 정확하게 해결해야 합니다. 어떤 차종의 론칭 광고가 온 에어 된지 2일이 된 적이 있었습니다. 그런데, 어느 날 갑자기 다른 곳에서 연락이 와서 온 에어 된 광고 일부분이 유명 명품 브랜드의 일부분과 유사하는 이야기를 하였습니다. 심지어 해당 브랜드의 광고주는 연락이 와서 해당 CM을 내려 달라는 요청까지 하였습니다. 광고에서 표절이나 저작권 침해의 문제는 캠페인 자체를 와해시키는 큰 이슈가 될 수 있었습니다. 우선 기획팀에서는 해당 브랜드 측에 유사성 논란이 있는 부분을 확인하였습니다. 우리 CM의 일부분과 해당 브랜드 제품의 일부분이 변형되지 않고 그냥 사용된 것으로 확인되었던 것이었습니다. 확인 후 제작팀에게 관련 부분이 유사하게 만들어진 배경을 알려 달라고 했고 바로 CG작업을 새로 들어가라고 요청했습니다. 또한, 해당 브랜드 측에 관련 사항에 대한 바로 조치를 할 테니 가급적 문제를 크게 다루지 않았으면 한다고 부탁을 했습니다. 광고주와는 작업이 완료되는 데로 관련사항을 실무자들과 협의하여 소재 교체를 진행하기로 하였습니다. 사실 TVC 업무를 하면서 사고라는 것이 어디에서 발생할지 전부다 예측하기는 어렵습니다. 해당 경우도 CG업체에서 해당 브랜드의 핵심을 보고 왜곡, 변형한다고 했지만,

핵심적인 부분에 대한 지식이 없어 간과하고 진행한 것 같았습니다. 광고에 있어서 표절시비나 침해시비는 광고주와의 관계를 악화시키는 신뢰를 깨는 행위입니다. CG를 하거나 스탁을 사용하거나 저작권 및 기간 등 문제가 없는지를 다시 한번 꼼꼼하게 확인해야 합니다. 통상 CG는 아주 새로운 것을 처음부터 만들지는 경우는 많지 않은 것 같습니다. 무엇인가 모티브를 기반으로 새로움을 것을 만들기 때문에 기존 상품의 것을 CG를 할 경우 유사성 논란이 없도록 완벽하게 작업해야 합니다.

## 잡지는 아이데이션의 좋은 원천입니다.

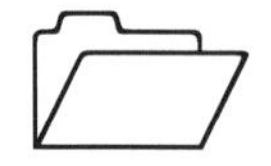

자동차 광고 전략을 수립하거나 콘셉트를 잡는데 있어 사전에 많은 리소스를 확보해 놓으면 그만큼 도움이 되는 것은 없습니다. 하지만, 그러한 것이 잘 안되어 있거나 최신의 트랜드를 알고 싶을 때는 잡지가 아주 좋은 자료가 된다고 생각합니다. 실제는 저는 이월된 잡지를 많이 보았습니다. 특히, 젊은 타깃들의 트랜드를 잡고 그것에 맞는 키워드를 뽑는 데는 잡지 만한 것이 없는 것 같습니다. 매체팀에 이월된 잡지를 방출하는 경우가 있는데, 이럴 경우 내려가 매체 특성별로 잡지를 취합하여 라이프 스타일, 구매 패턴, 최근 이슈 등을 보면서 시사점을 얻을 수 있습니다. 중요한 것은 각 부문별 트랜드를 보는 것도 필요하지만, 전체적인 흐름속에서 어떠한 방향으로 흐르고 있는 지를 조금 더 빠져서 보는 것도 필요합니다. 너무 안에 매몰되다 보면 작은 키워드에 묶여 뻔하거나 너무 작은 트랜드를 뽑아내기 때문입니다. 3~4가지의 부분별 현상이나 이슈를 뽑아내면 그것이 관통하는 스피릿이나 인사이트가 무엇인지를 찾아내는 것이 중요합니다.

**차량 리워크 전 반드시 차량을 확인합니다.**

자동차 촬영에 있어서 국내 촬영은 사실상 여러 가지 이유로 어려움이 있습니다. 실제 찍었을 때의 세련된 배경이 많이 없다는 것, 도로 사정, 특히, 자동차 촬영 장비가 국내에는 많이 없기 때문이다. 따라서, 미국, 호주, 유럽 등으로 해외 촬영을 나가게 됩니다. 통상 최종 보고이후 트리트먼트 과정에서는 차량을 우선 결정하여 준비를 시키는데, 촬영 준비를 위해 차량을 리워크 업체를 선정하고 작업할 수 있도록 어렌지 해 줍니다. 그런데, 광택 및 선틴 작업을 진행하는 상황에서 해외 촬영이 임박한 시점인데 차를 해외 탁송을 보내고 배송 업체에서는 차량에 얼룩이 많다는 사진과 함께 메일이 올 경우가 있습니다. 통상 광택작업과 리워크 작업상에서 이런 얼룩은 발견되지 않아야 하는데, 특정 차량(예를 들어, 시험 생산차)의 경우는 보관 상태 등의 문제 가끔 발생하게 됩니다. 뒤늦게 알게 된 상황이지만, 분명 촬영장에서 문제가 없도록 조치를 해야 했습니다. 1차적으로는 프로덕션에 관련 사항에 대해 언제 알았는지 등 정확한 차량 배송 전 상황에 대해 명확하게 확인하는 과정을 진행하였고, 해당 문제에 대해 해외 촬영 시 리워크가 가능한지에 대해 해외 코디 쪽에 해당 얼룩 자국을 보내어 확인시켰습니다. 해외 코디 쪽에서는 도색 외에는 불가능하다는 이야기를 들었으며 감독과 후반업체, PD가 협의하여 최종적으로 후반 작업에서 수정을 하는 것으로 최종 의사결정을 하였습니다. 시간적인 여유가 있었다면 도색을 할 수도 있었지만, 도색의 경우 비용이 많이 들어가고 건조 시간까지 고려하면 시간과 비용에 대한 낭비가 이만저만이 아니었 습니다. 차량 배송에 있어서 차량 리워크 전 차량에 문제가 있는지 여부를 최대한 빨리 확인하는 것이 좋고 필요하면 AE가 리워크 업체 와 함께 차량을 확인하는 것이 확실 할 수 있습니다. 또한, 책임 소재 를 명확히 따라 향후 해당 문제가 발생하지 않도록 하는 후속 조치도 매우 중요합니다. 아무리 확인을 하더라도 배송 전 최종 리워크 상태를 확인하는 디테일한 자세가 필요할 것입니다.

* 차량 광택 및 선틴 작업은 차량을 해외 탁송 전 실시하는 것이 보통인데, 선틴은 내부가 잘 보이지 않도록 10%이상 어둡게 유리창에 필름을 붙이는 작업(국가별로 선틴을 되는 곳도 있고 안 되는 국가도 있습니다.)입니다. 필요하면 해외에서도 이루어지며 국내 배송 시 감가 처리를 위해 해당 필름을 제거하여 차량을 반납해야 합니다.
해외 탁송은 자동차 광고에서 매우 중요한 업무입니다. 배송 차량이 결정되면 배송 업체에게 항공편을 알아보는데, 촬영 스케줄이 워낙 임박한 것이 대부분이라 항공 배송을 하고 촬영 후 배를 통해 들어오게 됩니다. 해외 탁송 시 일정, 비용을 확인하고 배송양식에 맞추어 차량 정보 배송 정보를 입력 제출하여 배송 서류를 접수합니다. 배송 서류도 최대한 4~5일전에 알려 주어야 하며, 현지에서 차량을 받았을 때 확인을 해야 합니다. 보안 차량에 경우에는 보안 업무까지 함께 동반되므로 차량 탁송에 대해서는 많은 경험이 필요합니다.

## 차량의 보안이 풀릴 때까지
## AE가 지속적으로 확인해야 합니다.

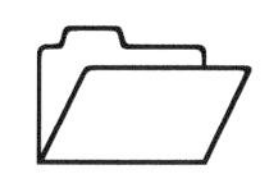

자동차 광고에 있어서 보안 문제는 아마 하나의 메인 업무일 때가 있습니다. 유지차는 문제가 없지만, 신차, 개조차 등은 매우 중요한 업무가 됩니다. 아마 프로젝트 초기 단계부터 보안 업무는 시작된다고 보시면 됩니다. 기획 방향 수립과 제작 아이데이션을 위해 차를 처음 보는 시점부터 광고주와 광고회사는 보안 서약서를 작성하고, AE들이 콘티 제작 단계에서는 외주 콘티 CG업체들의 보안 서약서를 받습 니다. 또한, 내부에서 출력할 때도 다른 스텝들이 보지 않도록 출력 시 출력기 옆에서 지키도록 요청하고, 프러덕션과 감독이 차를 보는 단계에 서는 각 스텝 별 보안 서약서를 받습니다. 차의 외관 및 내장 관련 촬영을 하게 되므로 더욱 신신 당부를 하게 되는 상황입니다 또한, 사진 뿐만 아니라 각종 광고주로부터 온 차량 관련 파일은 가급적 프린트 물로 배포되고 배포된 스텝 및 사람이 제한되고 확인됩니다. 실제 보고 단계에 있어서는 각 보고 단계마다 많은 수정이 있으므로 신차 비주얼 대신 경쟁차나 스탁에 있는 차량을 활용하여 제작에 반영하 도록 합니다. 차종에 따라 보안 해제는 다릅니다. 보안 해제가 되면, 보안 해제가 이루어지자 마자 프로덕션과 탁송관련 업체에 해당 연락을 합니다. 보안 해제의 차이는 곧바로 견적과도 직결되기 때문입니다. 탁송 시 보안 차량은 윙바디 차량에 탑재하고 포장을 하는데, 외관이 공개된 차량의 경우는 이를 굳이 안 해도 되므로 보다 비용이 절약되 기 때문입니다. 따라서, 변동 사항이 발생할 경우 이를 스텝들에게 우선적으로 연락합니다. 아무리 강조해도 지나치지 않는 다는 말이 있습니다. 아마 보안 업무를 두고 하는 것이라 할 수 있습니다. 각 단계별 필요한 보안 업무는 있지만, 이를 형식적으로 처리하는 것이 아니라 AE들이 주도적으로 실제 잘 이루어지고 있는지 긴장을 하며 해당 담당자를 선정하여 관리하는 노력이 필요하고, 또한, 온라인이나 SNS가 활성화되어 있는 상황에서 보안 차량의 커뮤니케이션을 진행할 때는 매일 수시로 해당 차량을 검색하여 유출된 것이 없는지를 모니터 하는 것이 중요합니다. 더구나 사고가 발생했을 경우 해당 이미지를 없애도 사고 경위를 신속히 조사해야 합니다. 사고를 경험해 보지 않은 사람은 그 중요성을 모르지만, 겪어보면 분명 이에 대한 이해를 하게 될 것입니다.

## 차를 꼼꼼하게 비교하면서 살펴보고 능동적으로 FGD 시 질문을 합니다.

자동차 광고 조사 시에는 AE, 기획이 현장에서 가지고 있어야 할 준비 사항, 관점, 태도, 노하우가 몇 가지 있는 것 같습니다. 우선 차량에 대한 기본 정보에 대해 숙지를 하고 있어야 합니다. 물론 사전에 자동차에 대한 개념과 기능, 기술적 이해도 있어야 합니다. 만약, 차를 처음 보는 자리이면 그 전의 차량(완전 신규 시장, 신차 별도)에 대한 정보와 새로운 지금의 차량에 대한 기본 자료는 숙지해야 달라진 점들을 확인할 수 있습니다. 또한, 직접 경쟁이 되는 차량 등의 제원도 알고 있는 것이 실제 비교하는데 도움이 될 것입니다. 다음으로는 차량을 보는 경우에 일단 외관에 대한 첫인상을 보는 것이 필요하며, 외관상 기존과 달라진 점을 잘 확인해야 합니다. 1차적으로 전장, 휠 베이스, 전고 등 외관의 사이즈와 관련된 것을 유관으로 확인하고 각 부분별 특징들을 세밀하게 살피는 것이 필요하다. 예를 들면 OOO 후속의 경우 헤드램프 내 코너링 램프가 들어가 있는데 자세히 보지 않으면 보이지 않습니다. 따라서, 해당 부분이 있는지 여부를 꼼꼼하게 살펴볼 필요가 있습니다. OOO의 경우도 A필라가 OOO 후속보다 큽니다. 그러다 보니 시야각이 좋아 보일 수 있다는 것을 주목해야 합니다. 그러나 실제 후드가 높아 OOO 후속에 비해서는 내부에 시야각이 좋지 않다는 것을 발견할 수 있습니다. 이처럼 차의 외관을 볼 때 여러 가지 유추해 낼 수 있어야 하는 눈을 기르는 것이 중요하며,

내장으로 들어가서는 이와 시뮬레이션 하여 시야각을 다시 한번 확인할 필요도 있습니다. 내장에 있어서는 특히, 기존과 달라 달라진 점이 무엇인지 센터페시아, 좌석 형태 등을 꼼꼼하게 볼필요가 있다. OOO의 경우에도 운전자를 향하여 기울어진 것을 현장에서 확인할 수 있었습니다. 따라서, 주어진 팩트가 아니더라도 현장에서 발견한 장점 을 잘 기억해 두었다가 광고의 요소로 활용할 수 있어야 합니다. 마지막으로 FGD 참여 시에는 전체적인 이야기와 세밀한 이야기를 각 질문마다 메모해 가며 인사이트를 뽑아내는데 주력해야 합니다. 현상을 과거와 크게 다르지 않을 수 있으므로 무엇이 새로운 것인지를 찾아내기 위해 들어가기도 하고 나와서 듣기도 해야 합니다. 론칭 클리닉에서는 사전에 생각한 가설에 대한 검증을 위해 FGD 말미에 질문을 던질 필요도 있습니다. 과거에 했던 질문이나 뻔한 것 보다는 변화된 것을 발견하기 위한 창의적인 질문이 필요합니다. 그러기 위해 서는 반드시 사전에 검토할 수 있는 전략적인 노림수를 충분히 고민해야 합니다. 광고주가 리콰이어먼트를 요청하지만, 현장에서 FGD 분위기에 따라 다르게 확인할 수 있는 것이 있기 때문입니다.

## 첫 방송, 온 에어 모니터링을 잊지 마시기 바랍니다.

고생해서 만든 자동차 광고가 온 에어 됩니다. 정말 그때 마다 스스로에게 고생했다는 말을 합니다. TV광고를 제작하고 난 후 방송 미디어팀에 소재를 넘기게 되면 온 에어 되는데, 첫 방송이 나갈 경우는 광고주가 요청을 하던 하지 않던 실제 온 에어 되는 첫 방을 모니터 하는 것이 좋습니다. 우선 매체 집행이 청약 된데로 첫 방이 잘 나가는지를 확인하는 것이고, 다른 CM과 함께 나가기 때문에 화질이나 사운드 레벨을 확인하여 CM 돌출도가 충분한지를 모니터하기 위함입니다. 플래닝에서 제안한 위시 리스트를 기준으로 바잉된 큐시트 상에서 가장 빨리 온 에어되는 매체를 틀어 모니터하는 것입니다. 특집 등 별다는 이슈가 없다면 청약 된 데로 온 에어 될 것입니다. 다만, 주말에 급하게 온 에어 되는 상황이나, 청약을 급하게 할 경우 전산 상에 입력 오류로 온 에어가 안될 수 있기 때문에 반드시 확인하는 것이 좋습니다. 만약 집행이 안될 경우 매체팀에 확인하여 어떠한 문제가 있었는지 광고주에게 전달해주어야 합니다. 실제 온 에어 되는 CM은 시사 시와는 다른 환경에서 온 에어 됩니다. 다른 C M들 사이에 들어가기 때문인데, 첫 방송이 될 때 크게 두 가지를 모니터 하면 됩니다. 우선 컬러입니다. 시사 때와는 다른 칼라감을 가질 수 있습니다. 따라서, 시사 때 칼라의 채도나 농도가 다른 지를 확인할 필요가 있습니다. 문제가 있다면 제작팀과 협의하여 수정 후 클라이 언트에게 다시 제시 온 에어 해야 합니다. 가장 많은 수정을 하는 것이 사운드인 듯합니다. 사운드 레벨이나 녹음실에서 아무리 사운드를 높여 주더라도 방송국에서는 일정 레벨로 맞춰 버리기 때문에 아무리 높이고 싶어도 기본적으로 한계가 있습니다. 다만, 다른 CM과 함께 들었을 때 현저하게 낮게 들린다면 분명 문제가 있을 수 있습니다. 따라서 첫 방송에서 이런 부분을 잘 듣고 수정할지 말지에 대한 판단을 해야 합니다. 수정이 필요하다면 협의하여 녹음이나 믹싱을 다시 해야 합니다.

## 촬영에 관련된 모든 것을 꼼꼼하게 챙겨야합니다.

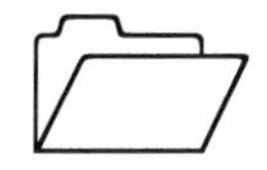

자동차 광고 트리트먼트 과정에서는 기획, AE가 잘 봐야 하는 부분들이 있습니다. CD가 보지 못하는 차와 관련된 부분이 아마 그런 부일 것입니다. 자동차 차량, 트리트먼트, PPM은 사전 준비가 매우 중요한 카테고리임에는 틀림없습니다. 어설픈 노하우나 판단으로는 자동차 광고를 해낼 수 없다고 생각합니다. 프로젝트 별로 다르지만 일반 CM에 비하여 비용도 많이 들고 일정도 만만치 않기 때문입니다. 그러다 보니 매번 강조하는 이야기이지만, 많은 스텝들과 끊임없이 확인 하며 실패없이 완성해 내는데 트리트먼트 과정은 아주 섬세하고 꼼꼼한 확인과 확인이 필요합니다. 실제 트리트먼트에서는 확인해야 할 것이 많습니다.

*자동차 촬영 앵글

반드시 트리트먼트 전 감독과 PD에게 차의 앵글을 연구할 수 있도록 미리 보여주고 트리트먼트 시점에 렌즈와 앵글을 보여주도록 해야 합니다.

*콘티 트리트먼트

골격에만 문제가 없다면 메시지와 표현력을 높이기 위해 거의 다른 생각의 트리트먼트 콘티가 와도 과감하게 제안해야 합니다.

*촬영 로케이션, 국내/해외

장소 자체의 독특함만이 전부는 아닙니다. 장소의 독특함과 CM의 맛을 잘 살리고 효과적인 작전을 짤 수 있어야 합니다.

*촬영 일정

촬영 일정은 비용과도 직결되어 있다. 로케이션과 가장 최적화되어 있는지 확인 또 확인을 해야 합니다. 분명 광고주는 명확한 명분이 있는지 확인할 것입니다.

*기타 절개 여부

절개 방법 또한 인테리어를 찍을 때 달라질 수 있어 촬영팀이 직접 진행해야 하는 경우도 있습니다. 그냥 전체를 절개해 버리면 카메라 앵글을 잡는데 한계가 있기 때문입니다.

## 촬영장에는 보이지 않는 룰이 있습니다.

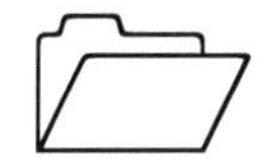

과거 어느 날 OOO 자동차의 마지막 국내 촬영이 있었습니다. 이 날은 기존 차급에서는 볼 수 없었던 고급스러운 느낌을 전달하는 차의 내장을 찍는 날이었습니다. PPM 시에 3편의 론칭 중 OO편은 내장을 보여주는 것이 따사로운 햇살이 공간을 고급스럽게 감싸는 듯한 느낌으로 촬영하는 것이 핵심이었습니다. 화이트 내장으로 고급스러움을 더 강조하고자 했습니다. 모델 등의 인물 촬영이 아니기 때문에 무엇보다 중요한 것은 얼마만큼 차의 내장을 조명이나 카메라 웍이 잘 해결하느냐가 관건이었습니다. 촬영장에 도착하자 마자 PPM노트와 촬영 전 합의했던 레퍼런스를 다시 한번 확인했습니다. 아무래도 빛과 카메라의 호흡이 가장 중요해 보였기 때문이다. 하지만 시간 관계상 많은 것을 찍을 수 없으므로 실내 내장에 핵심이 되는 부분을 집어내어 전달하는 것이 필요했습니다. 촬영이 진행되면서 감독이 앵글을 잡고 진행하는 컷을 모니터로 확인하였습니다. AE입장에서는 CD에게 오늘의 촬영 컨셉트에 대해 다시 한번 확인했습니다. 만약 힘있고 멋지게 보여주는 것이 핵심이었다면 조명의 색감이나 광선의 느낌이 더 콘트라스트가 많이 갔을 것입니다. 하지만, CD도 이미 촬영 전 합의하였던 빛이 들어오는 따뜻하고 산뜻한 느낌을 공유하고 있어 문제가 되 지는 않을 듯했습니다. 그날 촬영 콘티상에는 OO편에 들어가는 기능 적인 부분도 촬영이 진행되었는데, 핵심은 내장의 느낌을 전달하는 것이므로 힘을 주어야 할 부분은 내장이니 내장에 좀더 포커스를 맞춰 달라고 요청을 CD에게 하였습니다. 다만 걱정되는 부분은 실제 완성되었을 때 우리가 기대했던 샤이니한 느낌이 충분히 들지에 대해 걱정이 되어 CD에게 관련 사항을 문의하였고, CD는 감독과 협의하여 후반에서 화이트 내장의 칼라를 좀더 올리기로 하였습니다. 실제 내장의 여러 부분을 찍었지만, CM에 사용하는 것은 많지 않기 때문에 최대한 핵심적인 컷만 사용하기로 했습니다. 광고주 내부 시사 중 필요하면 사용할 수 있는 보험 컷은 필요했기 때문에 앵글과 부분을 바꿔가며 촬영을 추가 진행했습니다. 이런 경험을 하면서 촬영장에서는 AE가 촬영 준비 상태가 PPM과 트리트먼트 대로 준비되어 있는 확인하는 것이 첫번째라고 생각이 들었습니다. 모델 촬영의 경우 모델의 의상 컨디션, 헤어 등을 체크하는 것이 중요하며 광고주가 있을 경우 이를 반드시 확인하여 촬영 시 문제가 없도록 해야 하는 것 같습니다. 다음으로는 촬영 진행 시 광고주나 내부에서 추가적인 의견 변동사항에 대해서는 반드시 CD에게 문의하는 것이 좋은 것 같습니다. 촬영 장에서 의사 소통은 광고주는 기획, 기획은 제작CD, CD는 PD나 감독에게 이야기하는 보이지 않는 룰이 있기 때문이다. 자칫 이러한 룰을 어겼다 가는 촬영 진행자체의 문제가 발생할 수 있는 것 같습니다. 더구나 감독의 경우는 촬영장에서 굉장히 예민해 있으므로 불필요 한 행동이나 말로 분위기를 해쳐서는 안되는 것 같습니다.

## 촬영 현장에서 콘티에 대한 숙지가 중요함을 알고 있어야 합니다.

자동차 광고 제작 시 콘티를 기획이 잘 숙지해야 합니다. 사전에 콘티를 잘 숙지하고 현 장에서 CD에게 관련 내용이 잘 전달되어야 나중에 후반이나 시사 때 문제가 생기지 않는 것 같습니다. 과거 리깅 샷과 자막이 어우러진 콘티를 사전에 강조하지 않아 통으로 해당 장면을 사용하지 못한 적도 있었습니다. 그 당시에도 CD와 감독이 있는 상황에서 AE가 콘티를 기준으로 자막의 중요성을 다시 한번 이야기했다면 자막이 들어갈 앵글로 약간 틀어서 촬영을 하여 자막도 잘 보이고 리깅도 잘 되는 컷을 건졌을 것이라 생각됩니다. CM 전체적으로 큰 문제는 없었지만, 결국 그냥 이미지 컷으로만 사용되고 다른 방법으로 편집하여 자막을 넣었었습니다. 해당 프로젝트에 대해 서운한 마음도 있었지만, 이미 촬영을 다녀온 후 인만큼 더 이상 이야기할 수 있는 상황은 아니었습니다. 어떤 경우는 촬영상에서 새로운 컷을 건지기도 하지만, 촬영 시에 꼭 필요한 컷을 놓칠 수 있으므로 반드시 기본 콘티에 충실한 것을 찍어 두고 Alt 컷을 건져야 하는 순서를 절대 잊지 말아야 할 것 같습니다. 또한, 촬영 전 PPM시 건져야 할 컷에 대한 공유도 매우 중요하므로 각 단계별 컷이 누락되지 않는 꼼꼼함도 반드시 필요한 것 같습니다.

## 아군으로 만들던가 아니면 무한 신뢰를 얻어야 합니다.

자동차 광고 제작에 있어서 기획과 제작은 더 많이 이해하고 원팀이 되야 합니다. 기획이 요청하고 제작이 만드는 업무 상의 관계를 넘어서를 잘 소통하고 배려하고 시너지를 만드는 노력이 필요합니다. 그만큼 자동차 광고의 제작이 쉽지 않다는 것을 의미합니다. 특히, 광고와 함께 있는 자리에서 시안에 대한 회의를 진행할 때 광고주와 원만하지 못하고 합의가 안되는 경우가 있습니다. 이럴 때 현장에서 기획이 제작팀을 생각하지 않고 방향이나 합의를 이끌어 내면 이후 나와서 더 큰 문제가 될 수 있고 제작팀과 관계나 신뢰가 틀어질 수 있습니다. 영상 시안을 가져갈 때 많은 토의를 해야 합니다. 예상되는 광고주의 반응과 대응 방법을 제작팀과 숙의를 하고 가야 합니다. 물론 현장에서 예상치 못한 상황이 발생하면 돌아와서 다시 고민하고 이야기해야 할 수도 있습니다. 자동차 광고의 프로젝트가 긴 만큼 제 작팀과 오랜 시간 함께 고민하고 만들어 내야 합니다. 제작팀과 원팀이 되거나 무한 신뢰를 얻기 위해 노력해야 합니다.

**콘티의 내용에 따라 다양한 방법으로**
**자동차 CG에 대한 솔루션을 찾아내어야 합니다.**

자동차 광고에서 CG는 거의 늘 있는 후반 작업이라고 보시면 됩니다. 기본적으로 광택을 위해서도 CG가 필요하고, 아이디어를 위해서도 필요합니다. 아마 때어 놓을 수 없는 작업일 것입니다. 그 중에서도 자동차의 CG상에서 가장 큰 이슈는 자동차 외관 칼라입니다. 통상 히어로카를 사전에 선정하여 촬영을 진행하지만, CM에서 여러 가지 칼라를 보여줄 필요가 있을 경우 실버나 채도가 강하지 않은 칼라를 사용하여 후반작업에서 색을 돌립니다. 후반에서도 이야기하는 것은 실버차량이 여러 칼라로 돌리는데 가장 좋은 색이라고 판단하고 있습니다. 하지만, 주행이 너무 다이나믹 하거나 광선이 여러 가지로 들어갈 경우 칼라를 돌렸을 때 떡지는 현상 마치 CG한 느낌이 너무 나는 상황이 발생할 수 있으므로 무리한 주행이 있는 외관을 찍을 경우는 해당 칼라를 가지고 가는 것이 좋습니다. 그리고, 해외에서 양산되는 차가 부분이 다를 경우는 CG를 최소화 하기위해 부분 부품을 해외로 보내기도 합니다. 이때는 각 파트를 확실하게 사전에 확인하여 문제가 없는지 사전 검토를 해야 합니다. 내장의 경우는 호주나 영국 등 운전석이 오른쪽에 있는 차의 경우는 국내에서 반드시 차를 보내야 합니다. 후반 작업이 있기 전 CG한 부분에 대해 사전에 알려주는 것도 반드시 필요합니다. 시사 시 이러한 문제로 인하여 광고주로부터 클레임을 받을 수 있는 가장 기본적인 내용이기 때문입니다. 가장 좋은 것은 촬영 전 차량에 대한 확인을 하여 체크 리스트에 해당 내용을 반영 PD 쪽에 사전에 알려주는 것입니다. 그렇다고 그냥 알아서 하겠지 두는 게 아니라 반드시 어떻게 완료되었는지 반드시 확인하는 과정은 AE가 챙겨야 할 CG업무입니다. 해당 업무는 크리에이티브 업무가 아니므로 CD에게는 관련 사항을 알려주고 AE가 주도적으로 PD와 챙겨야 합니다.

## 사업 계획 간략하게 정리하지만,
## 심도있게 고민해야 합니다.

대부분의 광고주들이 애뉴얼을 합니다. 올해를 정리하고 내년을 준비하는 차원에서 진행하는 것입니다. 자동차 광고를 담당하는 AE라면 이러한 애뉴얼을 해 보았을 것입니다. 자동차 브랜드마다 차이가 있을 수 있겠지만, 중요한 것은 선행적으로 언제쯤 애뉴얼을 보통 하는지 알고 있어야 하고, 광고주가 관련 이야기를 하기 전 사전에 준비하고 광고주와 협의하여 진행하는 센스가 필요하다고 생각합니다. 자동차의 경우는 몇 년치의 플랜이 이미 나와있는 경우가 많기 때문에 선행해서 준비할 수 있는 여지가 더 있는 것 같습니다. 브랜드별로 담당을 지정하여 광고주의 사업 계획과 차질없이 진행될 수 있도록 관리하고 진행시키는 능동적인 자세가 필요합니다. 판매량, 광고비, 크리에이티브, 조사, 최근 트랜드 등이 사전에 업데이트 되면서 관련 애뉴얼을 효과적으로 대응할 수 있도록 준비해야 합니다.

**광고주가 생각할 수 있는 방향을**
**모두 고민하고 광고주의 코드를 읽는 눈을 가져야 합니다.**

저는 개인적으로 자동차 인쇄 광고, 특히 수상 이벤트 등을 소재로 광고를 만드는 것이 어려웠던 것 같습니다. (그렇다고 다른 업무가 쉽다다는 것은 결코 아닙니다.) 일반적인 접근이면, 다이렉트하게 수상 사실을 알리는 것에 집중하겠지만, 잠깐 빠져서 보면 그 이벤트, 수상이 가지는 의미를 자동차 회사 입장에서 재해석하여 단 한 줄로 표현해야 하는 것이 필요해서 어려웠던 것 같습니다. 물론 광고 회사가 생각하는 방향을 제안해야 하지만, 중요한 것은 기획입장에서 제작과 충분하게 광고주가 생각할 수 있는 방향을 고려하고 광고 회사의 방향까지 고려한 대안으로 라인업을 잘 구성할 수 있는 눈을 가져야 할 것 같습니다. 물론 짧은 시간에 이뤄지는 것은 아닐 것입니다. 광고주와 소통하면서 아마 해당 스킬이 올라가기 않을까 합니다.

## 광고주의 사전 조사 항목 개발 사전 스터디를 반드시 하고 작성해야 합니다.

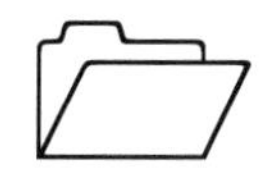

자동차 사전 조사는 규모나 일정이 일반 조사와는 다르게 크고 오래 걸립니다. 물론, 자동차 브랜드마다 조사의 형태, 진행 방법, 보안 여부 등 차이가 있을 수 있습니다. 다만, 해당 자동차 브랜드가 조사를 위해 광고 회사와 협업으로 사전 조사 항목을 함께 개발하는 경우가 있습니다. 효과적인 광고 마케팅을 위한 설계를 위해서 그러할 것입니다. 조사 회사가 해당 부분을 작성할 수도 있겠지만, 조사 회사 관점에서 하는 것과 광고 회사가 아는 스킴이 조금 다를 수 있고, 가장 큰 차이는 실제 광고 전략, 콘셉트, 실행에 적용할 수 있다는 점에서 더 실질적이라고 할 수 있을 것입니다. 이런 상황이 발생한다면 담당 기획은 해당 자동차에 대한 이해도가 높아야 하며, 조사 진행과 방식에도 사전 이해가 되어 이를 기반으로 한 내용을 작성하여 광고주와 협의하고 조사 회사에 전달될 수 있도록 해야 할 것입니다.

**광고주의 워크샵 새로운 사실을 알기 위한 사전 준비가 필수입니다.**

자동차 광고 조사 진행 시 광고주, 조사 회사, 광고 회사 등이 모여 함께 워크샵을 진행하는 경우가 있습니다. 전체 진행된 조사 결과를 기반으로 각 분야에서 인사이트나 시사점을 뽑아내기 위한 워크샵이라고 할 수 있습니다. 이런 경우는 일반 소비자가 아니므로 사전에 소비자를 대상으로 한 조사에서 나온 반응, 결과 등 의견을 숙지하고 있는 것이 좋습니다. 또한, 독특한 조사기법이나 진행이 있는지를 사전에 확인하고 청취하면서 흥미로운 새로운 사실을 발견하기 위해 노력해야 합니다. OOO기법 등을 통해 진행되는 워크샵이 있을 경우 어떠한 이미지로 가는지에 대해 보다 구체적으로 알게 되므로 소비자들과 진행했을 때와는 다른 내용의 시사점을 얻을 수 있게 됩니다. 마지막으로 사전에 새로운 차에 대한 지식과 정보를 알고 있고 해당 차종이 해당 세그먼트 시장의 지식이 있다면 예상 질문을 사전에 준비하면 추가적인 인사이트나 시사점을 얻을 수도 있습니다.

## 광고주의 워크샵은
## 기획이 주도해서 챙겨야합니다.

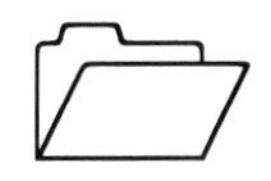

자동차 광고주와의 워크샵은 다양한 이슈와 목적으로 이루어집니다. 물론 이 또한 브랜드, 회사마다 차이가 있을 것입니다. 형태도 다양할 것입니다. 규모감 있게 어디를 가서 하거나, 회의실에서 컨퍼런스 형태로 등 이슈와 목적에 맞게 다양하게 진행될 수 있습니다. 대부분의 워크샵의 진행은 기획, AE쪽에서 주도하여 진행될 것입니다. 워크샵의 시작은 광고주로부터 언제쯤 워크샵을 했으면 한다고 하는 이야기로부터 시작됩니다. 당시에 광고주에게 워크샵에서 특별히 다루었으면 하는 것을 협의하게 되고, 기본적인 일정과 스콥이 나오면 워크샵의 세부 실행 계획을 AE들이 작성하게 됩니다. 실행 계획에 내용은 개요, 주제, 장소, 인원계획, 시간 사용계획, 기타 등으로 간단하게 작성하면 됩니다. 통상 워크샵을 주무로 하는 팀이 스텝들의 명단과 참석 가능 여부까지 확인하여 진행하게 됩니다. 가장 중요한 것은 장소와 일정 그리고 주제가 고민을 많이 해야 하는 부분입니다. 특히, 조사가 진행되어 그 결과를 바탕으로 주제를 선정해야 한다면, 마케터, AP들과 구체적인 협의를 하고 선행적으로 조사 설계, 얻어질 결과 등에게 대한 예상 가이드까지 광고주와 협의해야 하므로 상대적으로 워크샵의 일이 더 많아지게 됩니다. 일반적인 조사나 새롭지 않은 것을 할 경우는 결과 발표 시 무의미하게 될 수 있으므로 주의해야 합니다. 장소 선정에 있어서도 먼 곳보다는 근교이나 뭔가 새로움이 있는 곳을 찾다 보니 쉽지 않습니다. 또한 많은 스텝들이 참여(많은 스텝이 참여할 경우)를 해야 하기 때문에 일정을 빠듯하게 잡으면 참여도가 떨어질 수 있습니다. 워크샵의 계획안이 합의가 되면 그외에도 많은 것을 해야 합니다. 장소에 대한 어렌지와 음식, 교통편, 이동 등 여러 가지가 있을 수 있습니다. 워크샵 당일에서 버스로 이동을 하기 때문에 개별 출발 및 단체 출발 인원을 확인하여 이동시키고 현장에서 진행을 해야 합니다. 또한, 현장에서 일어날 수 있는 갑작스러운 변수에 탄력적으로 잘 대응해야 합니다. 예를 들어 갑자기 비가와 야외 행사가 취소될 경우 해당 시간이 비기 때문에 뭔가 다른 대안을 빠르 게 제시하고 진행해야 합니다. 또한, 워크샵의 시작부터 끝까지 관련 참석자들에게 공유하고 진행이 가능하도록 독려해야 합니다.

## 트리트먼트 신속하고 분명하고 명확하게 조율해야 합니다.

광고주 트리트먼트가 예정되어 있고 사전에 확인하고 챙겨야 할 것이 많은 상황인데 감독이 다른 광고주 촬영으로 일주일간 자리를 비우는 상황, AE입장에서는 준비 상황을 원격으로 진행되고 있는지 계속 모니터를 해야 하는 상황이었고, CD에게 2일에 한번씩 진행 사항을 확인해야 했습니다. CD는 조감독에게 전달했다고, 하고 트리트먼트 2일전 대행사 트리트먼트를 하는 상황에서 보자고 하였습니다. 그러나, 감독과 명확하게 프리론칭을 어떻게 정리할 것인지, 촬영 날짜, 로케이션, 론칭의 주행은 어떻게 정리할지 간극이 아직도 정리되지 않은 것 같았습니다. 시간은 없고 다른 촬영으로 스텝들이 정신이 없는 상황이라면 어떻게 정리해야 할까요? 한 번쯤은 이런 상황에 있었을 것입니다. 이런 상황에서는 사안이 급박하고 모두가 힘을 모아 좋은 퀄리티를 뽑아내야 하는 상황에서 쓸 때 없는 고집을 부리는 것은 상황을 더 악화될 수도 있습니다. 따라서, 문제가 발생한 상황은 추후 그러한 일이 없도록 신속 하고 빠르게 의사 결정을 돕는 것이 필요하고, PD의 역할이 제작 진행 상에서 매우 중요 하므로 PD와 안면이 있다면 제작 프로세스를 잘 진 행할 수 있도 록 사전 협의를 잘 해놓는 것도 AE가 할 수 있다면 해야 할 것 같습니다. CD입장에서도 모든 것을 혼자 할 수 없는 만큼 PD, CD와의 자유로운 소통이 아주 중요한 것 같습니다.

**트리트먼트는 PPM입니다.**
**섬세하고 또 섬세하게 챙겨야합니다.**

광고주에 따라 다르기는 하지만, 시안이 확정되면, 콘티에 대한 트리트먼트를 하고 이후 PPM을 하는 경우도 있습니다. 트리트먼트를 한다는 전제하에 꼼꼼하게 기획, AE들이 챙겨야 하는 것에 대해 예를 들어 설명해 보도록 하겠습니다. 과거 어느 날 광고주 트리트먼트를 앞두고 대행사 트리트먼트를 하였습니다. 과거에는 트리트먼트가 콘티 위주로 진행이 되었는데, 어느 시점부터 준 PPM식으로 진행되는 것이 트리트먼트 상황이었습니다. 그러다보니 촬영 콘티부터 로케이션까지 대부분의 이야기를 하게 되고 실제 PPM시에는 다사 한번 확인하는 형태가 되는 것 같았습니다. 당시 트리트먼트의 이슈는 OO자동차의 프리론칭 스탁과 촬영분을 어느 정도 할 것이냐와 론칭 주행을 어떻게 진행할 것인지가 이슈가 되었습니다. 여전히 AE입장에서는 CD와 감독의 입장 차이가 좁혀지지 않는 것이 걱정이었고, 더구나 중간에서 이를 조율하지 못하고 그냥 CD 입장에만 동조하는 것이 촬영을 원할하게 할 수 있을지가 걱정되었습니다. 큰 부분이 정리가 제대로 되지 않으니 디테일한 트리트먼트와 챙겨야 할 것들은 정작 자세히 이야기하지 못하고 다시 광고주 트리트먼트를 해야하는 상황이라 우려가 되었었습니다. 프리론칭은 스탁과 찍어야할 것들에 대해 어느 정도 이야기가 된 것 같은데, 정작 론칭은 박자감있는 멘트 맞춰 어떤 컷을 넣을 것인지에 대한 고려는 없고 편집으로 후반에 해결하겠다는 내용이어서 우려가 더 큰 상황이 되었습니다. 확실히 첫 단 추를 제대로 끼우지 못하면 원할하게 진행되지 않는 다는 것이 이런 것을 두고 하는 말인가 생각이 들었습니다. 또한, 로케이션에 있어서도 3편에 대한 주행을 스팟과 주행 느낌 메시지까지 고려를 하니 판 자체 가 과연 광고주가 동의할 수 있을지 걱정되었습니다. 우선 팀원들과 체크 리스트를 만들었다. 체크 리스트는 촬영 전 작성을 시작하는데, 매우 중요한 문서로 활용하고 있었습니다. 큰 줄기에 대한 합의가 아직은 미진한 상황이지만, 나중에 늦지 않게 챙기기 위하여, 광고주가 차량 촬영 시 이야기한 라이트를 키고 끄고 찍는 것부터, BGM과 모델료 계약기간, 네임플레이트 등 디테일한 사항을 총 정리하는 회의를 가졌습니다. 또한, 제작 관리와 함께 관련 사항에 대하여 견적을 만들 때 참조하기 위해 관련 사항을 공유하였습니다. 촬영이 3가지로 나누어져 있어 각 촬영시점 마다 챙겨야 할 것이 매우 많았습니다. 따라서 회의가 끝난 후에 별도로 모여 트리트먼트 콘티를 보면서 다시 한번 점검하고 확인하는 시간을 가졌고, 이를 체크 리스트에 업데이트 하여 내일 트리트먼트 회의시 필요한 사항을 반영하였습니다. 트리트먼트 단계부터는 신경을 곤두세우고 자세하게 필요한 사항을 반영해야 했습니다. 그렇지 않으면 광고주 트리트먼트 PPM 촬영시 매번 디테일한 것을 놓쳐 문제를 발생하게 되기 때문입니다. 제작이나 프로덕션은 촬영 자체에 더 집중하기 때문에 이를 놓치기가 쉽습니다. 따라서, 기획에서 아주 세부적인 것까지 확인하여 수정 조치를 해야 하며 이것이 제대로 되었는지 확인하는 과정까지 거쳐야 합니다. 일단 촬영을 하고 돌아오면 돌이킬 수 없기 때문에 더욱 섬세하게 챙기는 과정이 필요한 것 같습니다.

*체크 리스트는 촬영 전 준비해야 할 상황에 대하여 자세하게 기술해 놓은 문서입니다. 특별한 양식은 없지만, PD, 광고주, 제작팀이 챙겨야 할 것들을 총 망라해 놓은 문서라 할 수 있습니다. 체크 리스트를 촬영 시에도 항상 가지고 다니면서 확인해야 하며, 온 에어 할 때까지 꼼꼼히 확인하는 리스트로 잘 활용해야 합니다. 별것 아닌 것 같지만, 회의 시마다 업데이트 하여 스텝들과 공유한다면 디테일한 것을 챙기지 못해 발생하는 사고를 사전에 방지할 수 있는 좋은 장치라는 측면에서 아주 중요한 것 같습니다.

## 트리트먼트 후 반드시 제작관리와 공유합니다.

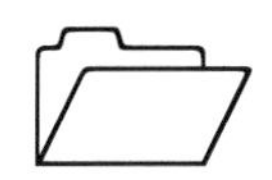

자동차 TVCM의 견적은 일반 TVCM의 견적보다 규모가 큰 것 같습니다. 특히, 주행 촬영이 해외에서 이루어지는 경우는 자동차 촬영 장비, 차량 탁송, 현지 이동, 인건비 차이 등으로 더 그런 것 같습니다. TVCM 프로세스에서 시안이 정리되는 단계에 이르면 관련 콘티를 제작관리와 공유하여 견적을 정리하기 시작하게 하는데, 특히, 트리트먼트 단계에서는 반드시 제작관리와 공유를 잘 해야 합니다. 트리트먼트가 만약 준 PPM식으로 되면 견적을 잡기 위한 디테일한 것이 1차적으로 정리가 가능해집니다. 가급적 사전에 광고주와 트리트먼트 회의를 통해 전체적인 촬영의 방향성이 합의된 후 해외 촬영 전 광고주 내부 품의 및 해외 광고비 50% 지급(해외 촬영의 경우는 해외 스텝에게 촬영 전 50%, 촬영 이후 50% 지급)이 필요하다 보니 빠른 시간 내에 견적서를 작성해야 합니다. 매번 강조하는 이야기이지만, 많은 스텝들과 끊임없이 확인하며 실패없이 완성해 내는데, 트리트먼트 과정은 아주 섬세하고 꼼꼼한 확인과 확인이 필요합니다. 실제 트리트먼트에서는 확인해야 할 것이 많습니다. 우선 전날 광고주 와 끝난 트리트먼트 자료를 제작관리 담당자에게 메일로 보내고, 문자로 관련 협의를 하자고 연락을 보냅니다. 다음 날 제작관리와 회의를 진행합니다. 제작관리에게 우선 전체적인 촬영 콘티에 대하여 다시 한번 리마인드하고 촬영 날짜와 해당 날짜마다 찍어야 할 내용에 대해

동선과 함께 설명을 합니다. 그리고 세트나 미술 쪽에서 비용이 들어갈 수 있는 부분에 대하여도 알려주고, 프로덕션에서는 카운팅 할 수 없는 콘티비용(제작팀에서 받아야 하며 비딩일 경우 두 팀 모두에게 사전에 받아야 함), 저작권 비용, 편집 추가 발생 여부(홍보영상, 메이킹, 극장광고, 디지털 등) 향후 온 에어 시까지 고려하여 발생 가능할 수 있는 변수를 고려하여 전달합니다. 또한, 기획 입장에서는 최근 변동된 차량 운송과 관련된 항공료, 출장 인원들의 변수들에 대하여 견적이 올라갈 수밖에 없는 불가피한 사항에 대하여 정보를 얻습니다. 실제 견적 합의는 광고주와 AE가 진행하게 되므로 변동사항에 대하여도 견적 합의 시 광고주에게 알려주어야 하기 때문입니다. 관련 정보를 공유하고 난 뒤 전체적인 세부 견적을 받습니다. 그래야 광고주와 합의하고 광고주 내부 품의 및 해외 광고비 50% 지급이 가능해지기 때문입니다. 제작관리는 많은 스텝들과 비용적인 부분을 두고 싸워야 하는 스텝입니다. 따라서, 스트레스가 항상 많을 수밖에 없습니다. 그렇기 때문에 다른 스텝 못지않게 밀착하여 자료를 공유하고 진행 사항을 공유해 주어야 합니다. 특히, 트리트먼트 단계에서 견적을 사전에 공유하고 협의를 하면 해외 코디와 프로덕션 협의가 빨라져서 광고주 청구 견적을 신속하게 산출할 수 있습니다.

**판매 데이터의 변화와 추이에 대해 관심을 가져야 합니다.**

자동차 광고 전문성의 출발은 판매 데이터에 대한 깊고 넓은 이해에서 출발합니다. 전략을 수립할 때만, 혹은 광고주가 제공한 데이터를 읽는 수준은 초보적인 단계라 할 수 있습니다. 더구나 판매 일보를 매일 받아보고 분석하는 광고주와 커뮤니케이션을 하기 위해서는 판매 현황에 대해 나름 분석하고 이해하고 있어야 합니다. 데이터의 변화와 흐름을 이해해야 선행적인 광고를 제안할 수 있고, 왜, 그리고 어떤 메시지를 해야 하는지에 대해 설득시킬 수 있기 때문입니다. 기사 자료에서 보는 판매 자료는 각 사별로 배포하는 기사 자료라 왜곡이 되어 있을 수 있습니다. 따라서, 한국자동차공업협회의 월 마감 자료를 모와서 읽거나 수입차는 수입차공업협회, 그리고 자동차산업연구소에서 나오는 자료를 기본으로 읽어야 합니다. 이미 분석된 자료보다는 엑셀 형태의 디테일한 데이터를 잘 읽고 새로운 시사점을 얻어내는 것이 필요합니다. 간단하게 자동차공업협회의 마감 자료를 보면, 가공만 잘 해도 시사점 있는 자료를 만들 수 있습니다.

*과거 판매 마감 엑셀 자료를 읽고, 가공하면서 제가 생각한 시사점입니다. 저자 개인 의견이므로 이점 감안해 주시기 바랍니다. 예를 들어 특정 차종의 가솔린, LPG의 판매를 비교해 보면 어떤 차종은 가솔린보다는 LPG 즉 택시의 판매 비중이 높습니다. 택시는 대수의

역할은 하지만, 실제 마진율이 높지 않아 수익성이 좋지 않고 브랜드 이미지를 저하시킬 순 있지만, 입소문을 만드는 데는 유효하다고 합니다. 그러나 경쟁차는 상대적으로 가솔린 판매가 높습니다. 어찌 보면 실제 판매되는 내실은 해당 차종이 나아 보일 수 있습니다. 문제는 마케팅 목표와 기존의 트래킹을 확인하면 좀더 명확한 시사점을 뽑 아낼 수 있습니다. 만약 해당 차종이 가솔린 판매가 더 올라온 것이라면, 초기보다 좋은 소문과 영업 드라이브의 어떤 것이 작용했을 수 있을 것입니다. 만약에 이 시점에 내년도 전략을 짜라고 한다면, 방금 이야기한 판매 분위기가 광고의 기본 방향성에 바탕이 된다고 해도 과언이 아닙니다. 또한, 디젤의 판매 변화도 주목할 필요가 있습니다. 디젤사태 이후 중형 디젤의 판매 변화에 어떠한 영향을 미치는가를 보는 것이다.

이처럼 엑셀로 되어 있지만, 마치 매트릭스의 그림처럼 다양한 이야기를 데이터에서 읽는 것, 다만 이것은 자동차뿐만 아니라, 다른 카테고리에서도 필요합니다. 광고를 직관과 창의적인 생각에서 만들기도 하지만, 기획에서 심도 있는 분석과 기본을 보는 능력이 없다면 실제 광고를 만들고도 판매나 마케팅이 지향하는 목표를 해결하지 못하는 광고를 위한 광고가 될 것입니다. 자칫 힘들고 귀찮은 일일 수 있지만, 분명 업무에 수시로 다가오는 이슈이고 더구나 경영진의 보고를 하는 과정에서는 더욱 심각하게 보는 부분이므로 평소에 눈에 익도록 훈련하는 것이 필요합니다.

## 편집 수정 사항 등 CD가 분명히 확인할 수 있도록 챙겨야합니다.

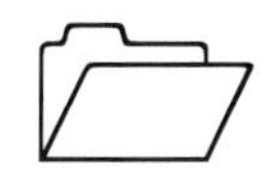

광고주 편집 시사 전 제작팀이 다른 상황으로 인해 기획, AE가 챙겨야 하는 상황이 간혹 있습니다. 편집시사 시 이런 말이 가장 무서울 수 있습니다. '혹시 CD님 사전에 그림 보신 거죠?' 이런 상황이 생기지 않도록 기획 입장에서는 CD가 확인했는지를 확인하고 혹 확인이 어려운 스케줄이 있다면 다른 방법을 동원하여 사전에 확인하고 편집 시사에 참여할 수 있도록 해야 합니다.

*지금은 광고주 실무와 편집, 녹음실 시사가 보편화 된 것 같습니다. 그 만큼 광고주도 후반에 대한 이해도와 전문성이 높아졌습니다. 따라서, 편집실 시사가 매우 중요해졌으며, 기획이나 CD가 해당 시사 시 사전에 확인하고 참여하는 것은 매우 중요합니다.

**프로젝트에 대해 한번쯤 복기하면서**
**차후 프로젝트에 개선점으로 활용해야 합니다.**

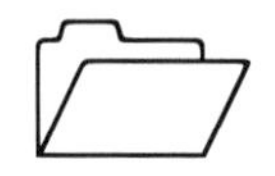

저는 자동차 프로젝트를 하면서 어느 시점부터는 프로젝트가 끝나고 나면 돌아보는 시간을 가졌던 것 같습니다. 프로젝트 리포트도 작성하여 복기해 보기도 하고 좋았던 것 같습니다. 광고나 공부도 마찬 가지로 복습하는 과정은 다음을 위해 필요한 과정이 아닌가 합니다.

*OO프로젝트 종료 후 리포트 예시입니다.
OOO 론칭 TVC가 온 에어 되었습니다. O월부터 시작했던 대장정이 드디어 끝났습니다. 최근 론칭 이후 판매 상황이 호조여서 광고주 내부 반응도 좋고 조사결과도 나쁘지 않은 상황이었습니다. 하지만, 판매에 대한 반응은 신차효과 측면에서 좀더 지켜봐야 할 상황이었습니다. 다만, 이번 프로젝트를 진행하면서 몇 가지 점검해야 할 사항이 생겼습니다. 매번 프로젝트 진행할 때마다 느끼는 것이지만, 전략을 짜고 안을 만들고 IMC를 전개하는 일련의 동일한 상황에서도 매 프로젝트마다 다른 상황이 항상 전개되다 보니 이번 건도 꼭 점검을 하고 가야 할 것 같았습니다.
첫 번째는 촬영 준비 단계에서의 확인이 미흡했던 것 같았습니다. PPM 준비단계에서 프리론칭 트리트먼트를 두 가지로 하기로 했지만, 실제 온 에어 된 것은 OO이 OOO한 것으로 최종 온 에어 되었습니다. CD와 감독 사이에서 AE들이 최종 트리트를 무엇으로 갈지 확인이 명확하지 않아 굳이 찍지 않아도 될 OOO컷 등 불필요한 내용이 들어갔고, OOO 로케이션이 CD는 필요하였다고 하나 지금 생각하면 OOO로 그냥 직선로 주행 장소에서 한꺼번에 건져도 되는 것 같았습니다. 또한, TVCM의 폴리시였던 OOO컷은 최초 3D로 만든다고 하였으나, 그 OOO나 레퍼런스를 사전에 확인하지 않아 추후 OOO와 유사하다는 이슈로 소재를 교체하는 헤프닝까지 겪어야 했습니다. 만약 AE들과 제작팀이 PPM시 3D 레퍼런스로 무엇을 하겠냐 했을 때 OOO을 모티브로 하겠다고 했다면 완전히 다르게 만들 것을 주문했을 것입니다.
두 번째로는 촬영 시에 보다 적극적인 대응이 없다는 것입니다. 대표적으로 리깅샷을 촬영할 때 자막을 염두해 두고 진행하지 않아 추후 편집 시 당초 콘티대로의 자막 인서트가 불가능하게(타이어리깅 제외) 되다보니 광고주도 자막도 안보이는데, 그냥 빼라고 이야기하게 되어 결국, 원안 콘티대로 진행이 안되는 상황이 되고 말았습니다. 현장에서 리깅샷 카메라 각도를 약간만 틀어서 대체 컷을 구했다면 이런 상황은 없었을 것입니다. 현장에서의 보다 콘티에 대한 이해와 협의가 부족해서 이러한 문제가 발생한 것 같았습니다.
마지막으로 내장 촬영 시에는 사전에 3D로 하던지 낮은 차급에서는 내장 촬영을 자제하는 안으로 만드는 것이 필요할 것 같습니다. 실제 만들어 보니 경영진에서도 그렇게 큰 느낌이 없어 수정하여 다시 보여 달라고 했으나, 당초 촬영된 것이 생각보다 퀄리티가 좋지 않고 제작과 감독 사이에 많은 차이가 있는 것 같아 이는 앞으로 내장 촬영에 대한 고민이 많이 필요할 것 같다는 생각이 들었습니다. 실제 안을 만들면서도 여러 가지 고려해야 할 것이 많지만, 실행상에서 제작과 긴밀하게 협의하고 확인하는 과정이 더 중요하고 조금은 아쉬운 프로젝트였던 것 같습니다.

이처럼 프로젝트의 복기는 다음 프로젝트를 위해서 의미 있는 과정인 것 같습니다. 시간이 있고 없음을 떠나 좀더 나은 자동차 광고 캠페인을 위해 필요하지 않을까 합니다.

## 프로젝트의 전체 규모를 알고 접근해야 합니다.

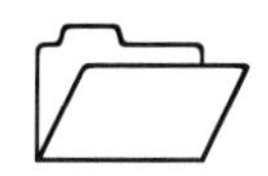

통상 영상 제작 프로젝트가 들어가기 전 광고주나 제작 스텝과 전체 프로젝트의 예산 규모는 확인하고 가는 것이 좋습니다. 물론, 아이디어를 만드는 스텝 입장에서는 예산이 큰 가이드가 될 수밖에 없습니다. 하지만, 가이드를 사전에 가지고 있지 않은 상황에서 아이디어를 내고 컨펌을 받을 후 진행하게 되면 더 큰 문제를 만들 수도 있습니다. 아쉬운 이야기이지만, 꼭 프로젝트 진행 전 규모를 알고 진행하셨으면 합니다. 만약 불가능한 아이디어를 정해진 규모 안에서 해결해야 할 때는 정교한 작전이 필요할 수도 있습니다.

## 프로젝트 일정은 AE가 주도적으로 확인하고 합의합니다.

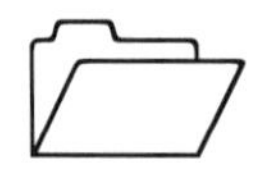

혹시 광고주나 내부에서 프로젝트 경험이 별로 없고, 어떻게 운영할지 모르는 상황에서 프로젝트가 진행되는 상황이라면 기획, AE가 더욱 일정 관리에 더 신경을 써야 합니다. 또한 프로젝트의 리더인 만큼 전체 일정을 숙지하고 있으면서 각 단계별 일정이 늦춰지지 않도록 독려해야 합니다. 더구나 실무자가 전체 일정을 제대로 이해하지 못하고 내부에서 관련 내용을 찾지 않는다고 하여 차분하게 준비하는 생각을 하고 있어 이를 일깨워주지 않으면 안되는 상황이 있습니다. 이럴 때는 AE가 전체 일정상에서 놓치지 말아야 할 것을 반드시 고지하여 의사 결정권자가 찾았을 때 바로 제시할 수 있도록 준비를 하고 있어야 합니다. 만약 찾았을 경우 준비되어 있지 않았을 때 더 큰 문제가 될 수 있기 때문입니다. 그리고, 일정상에 있어서 프로젝트가 진행될 때 광고주와 협의를 하고나면 반드시 결과를 얻어 낼수 있도록 합의를 해야 합니다.

**해외광고 국내 적용시 커뮤니케이션상에 착오가 없도록 세밀하게 정리해야 합니다. 또한, 협업도 세심하고 조심스럽게 협업하여 진행해야 합니다.**

자동차 광고주는 국내외를 아우르는 글로벌 업무가 많습니다. 따라서, 국내에서 해외로 해외에서 국내로 커뮤니케이션되는 업무도 있을 수 있습니다. 따라서, AE는 관련 업무에 대한 기본 스킬도 있어야 합니다.

*글로벌 자동차 기업PR에 협업했던 사례입니다.
OOO 브랜드가 전 세계적으로 하는 기업PR이 본격적으로 촬영에 들어갔습니다. 국내에도 적용해야 하는 상황이라 해외팀 및 제작팀과 긴밀한 업무협조가 필요했습니다. 하지만, 해외팀의 촬영분량도 만만치 않은 상황에서 콘티를 보고 국내 촬영분을 협조받는 것은 쉬운 것이 아니었습니다. 왜냐하면, 전 세계적으로 온에어는 하는 상황에서 국내 촬영분량만 무리하게 욕심을 낸다면 정해진 촬영 일수와 비용에 무리가 가기 때문이었습니다. 우선 기획팀에서는 해외팀과 제작팀과 번갈아 미팅하며 국내 촬영분에 대한 기본적인 가이드라인을 확인했습니다. 문제는 차량과 차량의 촬영 분량이었습니다. 국내에서 메인으로 내세우고 있는 차량의 차량이 상이하였고, 촬영 분량자체도 많지 않았습니다. 이정도라면 실제 쓸수 있는 컷들도 많지 않았고, CG를 매우 많이 해야하는 상황이었습니다. 따라서, 해외팀과 제작팀의 의견을 수렴하면서 우려시되는 부분

을 이야기했습니다. 당연히 국내에서 광고를 진행하는 광고주는 국내에 맞는 차량과 촬영분량을 협조받길 원하고 있었기 때문입니다. 이러한 내용을 해당팀에게 전달하고 국내 광고주에게 해외쪽 담당하는 광고주에게 명확하게 요청을 해달라고 했습니다. 그렇게 해야만 전체적인 차량 조정과 촬영분량 조정이 가능해지기 때문이었습니다. 관련 프로세스를 마친 후 조정이 되어 촬영 차량에 대한 CG내용을 최종 정리했습니다. 아무래도 해외에 나가는 촬영팀에게 도움이 되기위해 매우 디테일하게 차이점과 촬영시 주의해야 할 사항에 대하여 페이퍼로 정리해서 광고주와 촬영팀에게 전달될 수 있도록 작성 및 전달하였습니다. 촬영스텝에게 최대한 자세하게 전체와 부분으로 나누어 촬영시 주의점과 차량별 차이점을 정밀하게 제시해야 하였습니다. 그렇지 않으면 돌아와서 편집시 더 큰 문제가 발생할 수 있기 때문이었습니다. 추가적으로 기회가 닿으면 해외쪽의 스텝과 촬영이 제대로 진행되고 있는지 유선으로 확인하는 것도 필요할 수 있고 사고 위험을 최소화하고자 하였습니다.

## 핵심 아이디어 정리 후
## 스텝 별 진행 프로세스를 정리합니다.

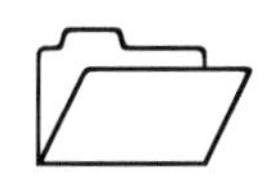

자동차 IMC 캠페인의 설계 시 핵심 아이디어가 정리되고 나면 스텝 별 영역에 맞게 최적화하고 스텝 별 진행 프로세스에 맞게 정리해서 실행 오티하고 진행해야 합니다. 그러다 보면 실질적으로 TVCM에 비하여 해야 할 일들의 범위와 종류가 많아 질 수 있습니다. 기획에 있어서는 전체 프로세스의 통합 관리가 중요한 만큼 구두나 유선으로 전달하기 보다는 리스트업하여 스텝과 공유하고 진행 단계별 관리를 하는 것이 필요합니다. 우선 결정된 아이디어에 대한 스텝별 R&R를 정리하는 것입니다. 예를 들어 기획에 있어서는 전체적인 관리차원에서 광고주로부터 확인하고 준비할 사항을 정리하고 제작에서는 정리된 메인 제작물에서 어떤 제작물을 만들어야 하는지 각 제작물이나 콘텐츠별 필요한 사항과 보완해야 할 부분이 어떤 것인지를 정리해야 합니다. 그리고 디지털에서는 이를 활용하고 확장하는 부분과 매체 운영에 대한 목표를 설정하고 운영방안을 정리합니다. 마지막은 각 스텝 별 취합을 어떠한 방식으로 할지에 대해서와 전체 프로젝트 일정에 대한 공유를 정리해야 합니다. 자료를 취합한 후에 전체적인 시각에서 빠진 것은 없는지 스텝 별 연락을 제대로 되었는지는 페이퍼를 수시로 관리하면서 업데이트 해야 합니다. 만약 광고주와 협의할 사항이 있다면 문서를 기준으로 확인해 가면서 조정해야 합니다. 통상적으로 메모나 유선을 통해 정리할 수도 있지만, 전사 스텝과의 동일한 플랫 폼으로 확인하고 공유하면 누수가 생기는 부분이나 광고주와 이격이 나는 부분을 좀더 명확하게 정리해야 합니다.

*관련해서는 통합 스케줄과 데일리로 추진 현황을 한 번에 볼 수 있는 시트를 만들어 매일 모니터링 하면서 업데이트 해야 합니다.

**현지 상황에 따라 스케줄 변동 시 사전에 확인하고 협의합니다.**

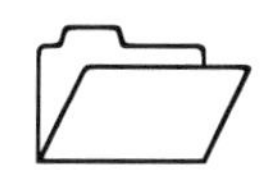

자동차 국내나 해외 촬영에 있어서 주행 촬영은 여러 가지 변수가 많이 있습니다. 특히, 해외 촬영도 통제가 아무리 잘 되어도 돌발적인 상황, 기상에 대한 이슈가 촬영에 발목을 잡기도 합니다. 따라서, 현지 상황에 따라 스케줄 변동 시 사전에 확인하고 잘 협의하는 것이 중요합니다.

*관련하여 해외 촬영 이슈에 대한 대응 사례입니다.
OOO차종의 해외 촬영 2차가 OOOO에 진행이 될 예정이었습니다. 스텝들은 금요일 저녁 비행기로 떠나기로 되어있었습니다. 그런데, 현지에서 촬영 장소 스팟에 비가 많이 와서 진입로가 붕괴도어 진입이 어려운 상황이라 OO일까지 확인을 해야 한다는 것이었습니다. 더구나 진입이 어려울 경우 유사 스팟으로 대체해야 하는 상황이었습니다. OO일까지 공사를 기다려봐야 진입이 가능한 상황이었습니다. 따라서, 현지에 도착하자마자 해당 부분을 확인하여 국내에 알려주어야 했고, 촬영 스케줄의 변동이 있는지를 확인해야 했습니다. 현지 시간으로 OO일 국내는 OO일이었는데, 진행 상에 문제가 없이 일정대로 진행된다고 하였습니다. 그러나, 국내 OO일 출근하여 타임 테이블을 받아 보니 원래 계획인 2일 촬영이 아니라, 1일은 리깅장비로 OO일 새벽부터 촬영이었고 다음날 주간 촬영으로 하루에 오버 차지 수준으로

조정되어 있었습니다. 현지에 광고주가 있었기 때문에 상기 일정 변동으로 문제가 될 소지가 있었습니다. 우선 현지의 AE를 통해 어떻게 된 일이냐고 물었으나, 관련 사항을 자세하게 알지 못하는 상황이라 CD와 PD를 통해 확인하였습니다. 촬영 컷을 모두 확보할 수 있지만, 장비와 비용을 생각하여 효율적으로 조정한 것이라고 했습니다. 내부적으로 변경된 일정을 보더라도 찍는 내용에는 문제가 없었으나, 변동된 사항에 대한 사전에 커뮤니케이션이 없었고, 이미 해외 비용에 대한 청구를 요청했기 때문에 비용을 미치 받고 변동을 확정지은 것이 아니냐는 오해가 있을 수 있었습니다. 만약 광고주가 관련 건으로 클레임 했다면 더 큰 문제가 될 수 있는 상황이었습니다. 분명히 커뮤니케이션 상에 문제를 지적하고 광고주 쪽에는 효과적인 것과 Alt컷 촬영까지 고려하여 효과적인 진행을 위해 조정한 것을 어필했습니다. 물론 비용의 차이도 거의 없는 것으로 정리했습니다.

AE는 현지에 나가기 전 PPM상에 나온 촬영 일정을 확인하고 진행 사항을 사전에 메모해 두어야 합니다. 또한, 현지에 도착하자 마자 현지에서 일정, 촬영 컨디션의 변화가 있는지도 확인해야 합니다. 더구나 광고주와 함께 가기 때문에 가기 전과 도착 후에 변동사항이 크게 상이할 경우 실제 촬영진행에 어려움이 생깁니다. 만약 현지 도착에서 촬영에 문제가 생겨 조정이 불가피 하다면 광고주와 협의하여 가장 최적화된 결과를 도출하고 합의하에 국내 쪽으로 관련의견을 전달해야 합니다. 만약 광고주가 없더라도 현지 상황을 기존과 비교하여 득과 실이 무엇인지를 분명하게 결론을 내려 국내와 커뮤니케이션 하고 최종 정리된 보고서를 전달해 주어야 합니다. 제작사 입장에서는 가장 비용을 줄여 결과물을 뽑아내려고 할 것이며, 대행사나 광고주 입장에서는 가능한 모든 변수를 고려하여 많은 풋티지를 확보하기 위해 진행을 하려고 할 것입니다. 이에 대한 최적의 합의점을 찾아내는 것 그것이 현장에서 가장 중요한 것입니다. 더구나 국내와는 상황이 분명 다를 수 있으므로 보고 라인을 통해 신속하게 전달하는 것이 필수입니다. 무조건 결과물에 이상이 없다고 하여 합의 및 진행을 하는 것은 국내에서 진행사항을 확인하는 것이 아무런 의미가 없습니다. 따라서, 진행 전 확인을 철저히 하고 문제시되는 부분은 다시는 발생하지 않도록 조정하는 것이 필요합니다. 이는 확인에 확인을 하는 단순한 것이지만 많은 차이를 결과적으로 만들어 냅니다.

## 현지 촬영 준비 사항을 다시 한번 점검합니다.

해외 촬영이 결정되고 나서 스텝들은 선발대 후발대로 나누어 떠나게 됩니다. 광고주나 광고 회사의 기획은 같이 출발하는 경우도 있고 광고주는 좀더 늦게 오기도 합니다. 이러한 차이 시간에 이슈가 발생할 수도 있습니다. 스텝은 떠난 상태이고 광고주의 요청에 의해 기능 컷이나 추가 컷 요청이 오는 경우가 있습니다. 만약, 현지와 커뮤니케이션이 되지 않을 경우는 이 타이밍에서 매우 정교하게 인수인계 하면서 현지에서 바로 확인하고 협의할 수 있도록 정리해야 합니다. 자칫 현지에서 해결이 안되는 장면일 경우 국내에서 추가 촬영으로 예상치 못한 비용이 발생할 수도 있습니다.

## 협업, 협업, 협업이 가장 중요합니다.

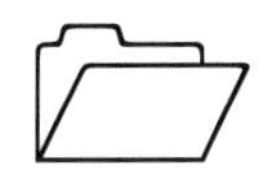

자동차 론칭과 같은 프로젝트는 매우 많은 스텝들이 함께 움직입니다. 따라서, AE, 기획 입장에서는 가급적 전체적으로 돌아가는 상황을 스케줄표로 만들어 관리하고 매니징해야 한다고 생각합니다. 어떤 경우는 다른 스텝에서 진행되고 있는 부분이 기획 쪽에 공유가 안되어 문제가 되는 경우도 있습니다. 반대로 기획 쪽에서 진행되는 사항이 스텝 들과 공유가 안되어 문제가 되는 경우도 있습니다. 결국, 이런 상황이 벌어지면 전체 프로젝트에서 협업이 안된다는 소리를 듣게 되고 프로젝트 자체의 퀄리티나 완성도가 떨어질 수 있는 상황이 벌어질 수도 있습니다. 번거롭더라도 기획입장에서는 수시로 전체 스케줄링을 수시로 스텝들 및 광고주와 공유하면 협업에 누수가 없는지 끊임없이 모니터링해야 합니다.

*자동차 프로젝트 스케줄표는 단순 TVCM 온 에어하는 스케줄과는 달리 론칭 마케팅 일정, 각 파트별 일정과 일일 추진 현황 등 엑셀에 시트를 여러 가지로 만들어 전체적으로 보는 것과 세부적으로 추진되는 현황을 동시에 볼 수 있도록 해야 합니다. 그리고 매일 추진 현황과 변동 사항은 업데이트 되어야 합니다.

## 회의를 주도하고 반드시 결과를 얻어내어야 합니다.

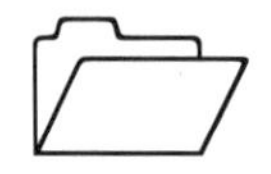

자동차 기획은 내부적으로 전략 회의의 비중이 크다고 생각합니다. 기획끼리 하는 경우도 있고 마케팅(광고회사 마케팅팀)과와 하는 경우도 있습니다. 전략 회의 시에는 특히, 마케팅과 협업을 많이 합니다. 하지만, 결국, 프로젝트 리더는 기획, AE이므로 관련 회의를 주도하고 반드시 단계에 맞는 결과를 얻어 내려고 하는 노력이 중요하다고 생각합니다.

*관련한 전략 회의 사례입니다.
내년도 OOO 후속 광고를 위해 기획, 마케팅과 전략회의를 진행 중에 있었습니다. 그러나, 벌써 2주가 넘어가지만 과제, 커뮤니케이션의 목표, 기본 방향성등에 대한 마케팅과 AE간의 합의가 이루어지지 않고 별도로 자기만의 주장을 하는 상황이 되어 광고주 보고가 임박한 상황에서 미궁에 빠졌습니다. 처음 신차 론칭 프로젝트를 받아 진행하지만, 이렇게 마케팅과 조율이 되지 않는 경우는 흔치 않은 상황이었습니다. 상황을 실무에게 들어보니 마케팅과의 회의에서 가장 큰 문제는 '전달'만 있었을 뿐 '아이데이션'은 되지 않았던 것이었습니다. 그 냥 '줄여주세요, 컴팩트하게 해주세요. 내용 채워주세요'라는 식으로만 전달하다보니 실제 마케팅과 합의되거나 전략의 아이데이션이 이뤄지지 않았습니다. 시간이 없는 상황에서 모두 다시 인발브할 수

밖에 없었습니다.

마케팅과의 회의에서 AE는 결과를 끌어내기 위해 주도권을 가지고 합의를 이끌어 내는 기술이 필요합니다. 상황에 대해 이야기를 하더라도 시장을 어떻게 바라볼 것인가와 그것에서 과제나 목표를 어떻게 가져올 것인가를 반드시 사전에 합의해 내어야 한다는 것입니다. 무조건 AE, 마케팅 따로 정리하여 함께 보는 것은 사실 중요한 것은 아닙니다. 우선 시장에서 해결해야 할 과제를 합의하고 그것에 맞추어 방법을 함께 고민한다면 적어도 앞으로 한단계 나아가는 결과를 도출해 낼 수 있는데, 마냥 정리 지시만 하고 다시 보는 형태는 아무런 회의의 의미를 찾을 수 없는 것입니다. 더구나 회의를 하더라도 지시 형태의 회의는 더 의미가 없습니다. '알맹이'를 찾아내는 회의 그것이 진정 마케팅과 한 배를 탄 AE가 잊지말아야 할 것입니다. 회의의 주도권을 가진다고 해서 다가 아닙니다 각 회의의 단계마다 반드시 결과를 얻어 내어야 한다. 모든 결론을 만들어 낼 순 없지만, 적어도 일정부분의 합의를 보면 AE는 추가적으로 필요한 부분들이 무엇인지를 마케팅과 협의하여 요청하고 AE와 롤을 나누어 업무를 진행시켜야 합니다. 제일 안 좋은 것은 마케팅에게 '전략 짜주세요' 라고 맡기는 것입니다. 절대 마케팅에게 지시하는 것이 아니라 함께 고민하고 방법을 찾아 내는 '파트너'라는 인식을 잊 어서는 안됩니다. 그러한 마인드를 기본으로 주도권을 가지고 각 회의의 단계별로 결론을 뽑아내야 합니다.

**후반 작업 시 골격을 유지하며,**
**새로운 살을 붙이는 과정이 필요합니다.**

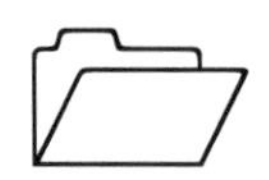

O월O일 OOO에 차종 프리 론칭에 대한 광고주 실무 시사가 예정되어 있었습니다. 해외 촬영 후 도착하자 마자 편집실에서 1차 확인을 하였고, CD와 감독과 함께 협의하여 버전을 그림에 따라 크게 3가지로 만들었습니다. A버전은 원안 콘티에 가까운 그림이었고, B버전은 감독이 트리트 과정에서 이야기한 OO의 로고 리깅샷을 활용한 안이고 C안은 해외 촬영 시 현장 느낌이 좋아 감독이 아이디어 차원에서 제시한 그림으로 모두가 동의하여 3가지 그림으로 제시하기로 하였습니다. OO일 오전까지 CD로부터 그림을 확인하고, 시사표를 만들어 실무 시사 준비에 들어갔습니다. 실무 시사 시 제작과 기획 스텝 모두 안을 만드는 과정에서 원안 A안보다는 B, C안을 선호하는 상황이었습니다. 광고주 시사 시 우선 시사표를 제시하고 3가지 안의 큰 차별점인 그림에 대한 의견을 이야기했습니다. 일단 15초 위주로 시사를 시작했고, 광고주는 그림이 A, B안으로 하자고 결론을 지었습니다. C안의 경우는 경영진 보고 시 아주 다른 안으로 볼 수 있는 개연성이 있어 오해를 살 수 있으므로 A, B로 최종 정리되었습니다. 시사를 전체적으로 마치고 광고주는 완성된 부분에 대하여 만족하였고, 몇 가지 수정 사항이 나왔습니다. AE입장에서 가장 큰 소득은 1차적으로 시사가 큰 문제가 없었다는 것과 버전이 많았던 것이 최소로 정리가 되었다는 것이었습니다. 작은 수정들이 있었는데, A안의 경우는 주행신을 좀더

길게 넣었으면 한다는 것과 엔드에 로고가 나오는 것을 블랙으로 처리하지 말고 주행신에 올려 노출량을 많이 가져가자는 것이었습니다. 사실 과거 시안 보고 시 상기 내용처럼 작업을 한 사례가 있어 어려운 것은 아니었습니다. 하지만 여전히 걱정이 되는 것은 광고주가 현 제시된 카피에 대해 완전히 만족하는 것은 아니었습니다. 따라서, 다음에 녹음 시 추가적인 협의가 필요했습니다. 실무 시사는 임원 시사에 비해서는 약간 자유로움이 있는 것은 사실입니다. 하지만, 임원 시사가 임박한 상황에서 실무 시사가 항상 이루어지기 때문에 가능한 상황에 대하여 각 단계별로 아이디어를 내어 새로운 것을 제시해야 하는 스트레스가 있었습니다. 그래야 시안에서 보다 매력적인 결과물을 만들 수 있어서였던 것 같습니다. 어떤 경우는 시안과 같이 만들려는 것보다는 골격을 유지하며, 새로운 살을 붙이는 것을 통해 더 좋은 결과물을 만들 수도 있는 것 같습니다.

## 자동차 용어에 대한
## 기본 공부는 사전에 합니다.

자동차 광고를 할 때 처음하는 분들이 가장 어려워하는 부분 중 하나가 용어인 듯합니다. 어떤 경우는 AE들을 대상으로 관련 교육을 실시하기도 합니다. 자동차의 개발 역사, 자동차의 종류와 주요 기술, 브랜드 별 특성이나 시장 현황까지 알아야 할 사항이 매우 많습니다. 특히, 기술적인 용어는 계속 새로운 것이 나오고 자동차 브랜드 마다 같은 기술이라도 다르게 부르는 경우도 있어 잘 보아야 합니다. 이런 용어를 잘 모를 경우 광고주와의 회의나 전략 수립, 제작 단계에서의 제작 스텝에게 설명하는 것 등 많은 어려움을 겪을 수 있습니다. 만약, 자동차 광고를 처음 하게 된다면, 미리 준비하거나 이미 하고 있다면, 계속 검색하고 정리해 두는 것이 필요합니다. 자신이 담당하는 브랜드의 카탈로그, 자동차 전문 블로거, 유투브, 카페 등에서도 많은 정보를 얻을 수 있습니다. 저는 개인적으로 차에 대한 리뷰 관련한 전문 유투버를 통해 새로운 정보나 이슈를 알았던 것 같습니다.

## 자동차 촬영 장비도 잘 알아야 합니다.

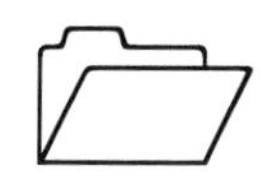

일반 제품/브랜드 촬영과 자동차 광고 촬영은 장비면에서도 스케일과 종류가 다르다고 생각합니다. 그래서, 기본 제작비 자체도 많이 들어갑니다. 그렇다고 실제 현업에서 자동차 광고 촬영에 대한 장비를 누군가 시간을 내어 친절하게 알려 주지는 않는 것 같습니다. 스스로 알아내거나 물어봐야 알 수밖에 없는 것 같습니다. 이런 상황은 실행 단계에서 꽤 많이 발생합니다. 예를 들어 촬영 전 PPM 시 감독이나 PD가 이렇게 촬영할 것이고, 이런 장비를 쓰겠다는 이야기를 합니다. 그럼 그 장비에 대한 이해가 되어야 어떤 결과물이 나올 수 있다는 것을 알게 됩니다. PPM에 이후에 제작 견적을 협의할 때도 특수 장비나 기자재에 해당 장비가 명기되어 있는 경우 기획이 알고 있어야 합니다. 또한, 현장에서 촬영 장비가 왔을 때 광고주가 문의할 때도 있고, 제작 관리나 지원팀에서 확인하라는 이야기가 나올 수도 있습니다. 더구나 해외 촬영 시에는 장비의 규모나 종류가 국내보다 더 많고 다양합니다. 그리고, 촬영 장비는 계속 진화합니다. 그래서, 기획들이 사전에 제작, PD, 감독, 제작 관리 담당과 수시로 커뮤니케이션 하면서 업데이트 하는 노력이 필요합니다.

## 자동차 마케팅 매커니즘에 대한 이해가 기반이 되어야 합니다.

자동차 광고를 처음하거나 잘 모르는 기획들이 자동차 광고 전략을 짤 때 가장 힘들어 하는 것이 있는 것 같습니다. 타 카테고리의 제품이나 브랜드처럼 브랜드의 인지도, 선호도, 구매력 등을 기반해서 일반적인 고객들에 인식상에서 문제를 집고 어떻게 해당 문제를 해결할 것인지 이야기를 합니다. 물론 틀린 것은 아닙니다. 문제는 복잡하고 고관여 제품으로서 광고로 고객들을 움직이는데는 분명 한계와 역할이 있기 때문에 그러한 부분들을 충분히 고려하고 접근했느냐가 관건이라고 생각합니다. 그렇지 못하고 접근할 경우 자칫 전략이 뻔하거나 설득력이 없는 전략으로 보일 수 있기 때문입니다. 당연히 자동차 세그먼트별로 해당 제조사에서 차지하는 비중과 역할이 다릅니다. 같은 세그먼트라고 하더라도 경쟁 브랜드와 제품적, 소비자 인식 등 다양한 부분에서 세심하고 입체적으로 분석하고 보아야 합니다. 또한, 론칭 차종과 유지차종의 전략이 다르며, 판매가 중요할 경우와 브랜딩이 중요할 경우의 접근도 다릅니다. 좀더 쉽게 말씀드리면 해당 차종 브랜드가 처한 시장에서의 위상과 역할을 명확히 규정하고 어떤 포인트를 광고로서 해결할 것인지가 노림수가 매우 정교하게 정리되는 것이 중요하다는 것입니다. 이는 자동차 시장의 매커니즘을 잘 이해하고 있을 때 좀더 효과적이지 않을까 합니다.

## 어려운 만큼 늘 공부하고
## 겸손했으면 합니다.

자동차 광고를 오래하다 보면 조심해야 하는 것이 '나는 많이 알고 있어, 자동차 광고는 이렇게 하는 거야' 라고 나름의 매뉴얼을 가지고 이야기하고 업무하는 사람이 있습니다. 저는 반대합니다. 시장이나 트랜드가 변하고 변화된 마인드의 사람들이 계속 들어오는 상황에서 겸손하지 못하고 자신만의 광고관을 펼치는 것은 매우 잘못된 습관인 것 같습니다. 물론, 저도 나름대로의 자동차 광고관이 있었습니다. 그런데, 지금 생각하면 뭔가 시간이 흐르면서 고집과 아집으로 보여지기도 했습니다. 특히, 문제가 생기고 풀리지 않으면 결국, 그 고집과 아집으로 해결하는 상황이 될 때면 더 스스로가 뭔가 잘 못된 것 같다는 생각에 자책도 했습니다. 저는 후배들과 일을 할 때 가장 집중하는 것이 생각이 잘 못된 것을 지적하는 것이 아니라, 생각 자체에서 장점을 찾아내어 발전시키는 것입니다. 논리적이지 못할 수 있고 실현 가능성도 없을 수 있습니다. 그런데, 변칙스럽고 독특한 생각에서 솔루션이 나오는 경우도 있습니다. 누구에게나 배울 수 있다고 생각하고 배울 점은 있다고 생각합니다. 자동차 광고이든 아니든 겸손은 좋은 태도임에 틀림이 없는 것 같습니다.

## 아무나 할수 있지만,
## 누구나 잘 할 수는 없습니다.

다양한 광고주를 경험하면서 모든 광고주가 어렵고 힘들지만, 제 개인적으로는 자동차 광고가 가장 어렵고 힘들었던 것 같습니다. 업무적인 강도도 강도이며, 특히, 축적된 경험이 없으면 일 자체를 견디기 힘들 수도 있다고 생각합니다. 기본적으로 자동차 개념, 부품, 기술적 이해도에 대한 사전 지식이 없으면, 업무 시작부터 매우 어려움이 있을 것입니다. 또한, 자동차 시장 및 마케팅의 메커니즘도 잘 이해가 되어야 그 기반 하에 광고 전략을 수립하고 광고주와 협의가 가능할 것이라고 생각합니다. 자칫 광고 마이오피아에 빠져서 인식의 싸움, 선도자의 법칙 등 광고 중심적 사고는 더 조심해야 한다고 생각합니다. 물론 자동차 광고주의 성향과 스타일에 따라 다를 수는 있습니다. 하지만, 자동차 광고주는 스텝이나 규모 업무 프로세스가 타 카테고리 대비 많은 시간과 깊이가 필요합니다. 제작의 경우도 제작CD나 감독 선정에 있어서도 경험이 중요합니다. 만약, 새로움과 경험 중 선택을 하라면 10명 중 7명은 경험을 선택하지 않을까 합니다. 반면에 오랜 경험도 중요하지만, 정체되지 않도록 새롭게 하는 노력도 필요합니다.

## 많은 인내심이 필요합니다.

자동차 광고를 하면서 인내심이 많이 생긴 것 같습니다. 우선 프로젝트의 기간이 짧으면 6개월, 길면 1년 이상 걸리는 것이라 단기, 중기, 장기적인 스케줄 관리를 하면서 진행하는 것이 여간 쉽지 않는 것 같습니다. 또한, 전략의 시작부터 제작물의 보고, 다양한 IMC 제작물들이 제안과 수행까지 그야말로 강한 멘탈과 체력이 필요했던 분야인 것 같습니다. 그 만큼 광고하는 제품 중 고관여인데다가 정말 많은 사람들의 의견을 듣고 반영하고 더구나 작은 것 하나라도 잘 못되면 큰 문제가 되기 때문에 꼼꼼하게 인내심을 가지고 진행해야 하는 것 같습니다. 그러다 보니 자동차 광고를 하면서 다른 브랜드에 거기서 배운 인내심이 큰 도움이 되는 것 같았습니다. 많은 AE들도 자신과 잘 맞는 광고주 카테고리가 있는 것 같습니다. 개인적으로는 자동차 광고는 성격이 차분하고 인내심이 있는 기획자가 좀더 적합하지 않을까 생각이 듭니다. 물론, 저만의 생각일 수도 있습니다.

## 보안 사고는 기민하게 대응해야 합니다.

자동차 광고에 있어 보안(기존 차량이 아닌 신차나 변경 이슈가 있는 차량에 보안 관리 필수)은 매우 중요한 업무 부분입니다. 이 책을 보고 있는 분들에게 자동차 보안 이슈와 사고 시 업무 프로세스를 알고 있지 못하다면 빨리 해당 회사의 관련 매뉴얼을 확인하셨으면 합니다. 자동차 광고 제작 시 사전 보안 각서 작성, 각 광고 프로세스별 관리 포인트를 이해하고 있어야 합니다. 그럼에도 예상하지 못하는 상황이 발생합니다. 예를 들어 차량 보안 박싱 포장을 하여도 공항 보안구역에서 촬영되어 문제가 되는 경우도 있고, 국내외 촬영장에서 망원렌즈로 촬영하여 스파이 샷이 올라가는 경우도 있습니다. 만약, 발생하였다면, 사고 사례를 빠르게 전파하고, 온 오프 팀과 협업하여 해당 게시물이 최대한 빨리 삭제될 수 있도록 해야 합니다. 이후 관리 책임 소재를 가려내어 확인하고 재발 방지를 해야 합니다.

## 어느 광고인의 두 번째 수첩을 마치며

지금까지 지난 책 '어느 광고인의 수첩'에서 다루지 않았던 AE가 알아야 할 조사 마케팅 업무와 자동차 광고 기획 업무 노하우를 포함한 '어느 광고인의 두 번째 수첩'을 보셨습니다.

조사 마케팅 업무는 AE에게는 전략 수립에 있어 기반이 되는 업무로서의 역할을 할 것이라고 봅니다. 만약, 조사, 마케팅, 브랜드 팀이 회사 내에 있다면 해당 부서의 업무 스타일과 스킴을 잘 이해하시고 원활한 협업 관계를 만드시는데 도움이 되셨으면 합니다.

그리고, 두 번째로 넣은 자동차 광고 기획 업무 노하우는 제가 약 14년간 자동차 광고 기획 업무를 하면서 기록해 두었던 일기, 리포트 중 여러분들에게 도움이 될 만한 내용을 각색하여 정리한 것입니다. 모쪼록 국내에서 자동차 광고 기획하시는 기획, AE들에게 좋은 노하우, 팁으로 활용되었으면 합니다.

다양한 광고주를 경험하면서 특별히 자동차 광고는 오랜 시간 동안 큰 도움을 주었습니다. 전략부터 실행까지 전체를 아우르는 기획력과 실행력, 전략을 수립하는 심도의 강화, 위기 상황에 대한 대응 능력, 다양한 스텝과 협업하는 노하우와 스킬 등 이외에도 많은 역량과 능력을 알게 해준 고마운 광고주이었던 것 같습니다. 실제 많은 선후배님들이 자동차 광고주를 통해서 더 좋은 캠페인과 역량을 펼치고 계시는 것에 감사와 응원을 드리며, 이 책을 보시는 모든 분들이 더 행복하고 즐거운 광고 생활이 되시기를 간곡히 바랍니다.

감사합니다.

## 특별히 감사합니다.

## Special thanks to….

가장 뜨거운 시절 함께 해주신 모든 광고 선후배님들께
감사의 말씀드립니다.

그리고, 늘 곁에서 묵묵히 응원해주는
가족에게 고맙고 사랑한다는 말을 전하고 싶습니다.